A HISTÓRIA DA CIÊNCIA PARA QUEM TEM PRESSA

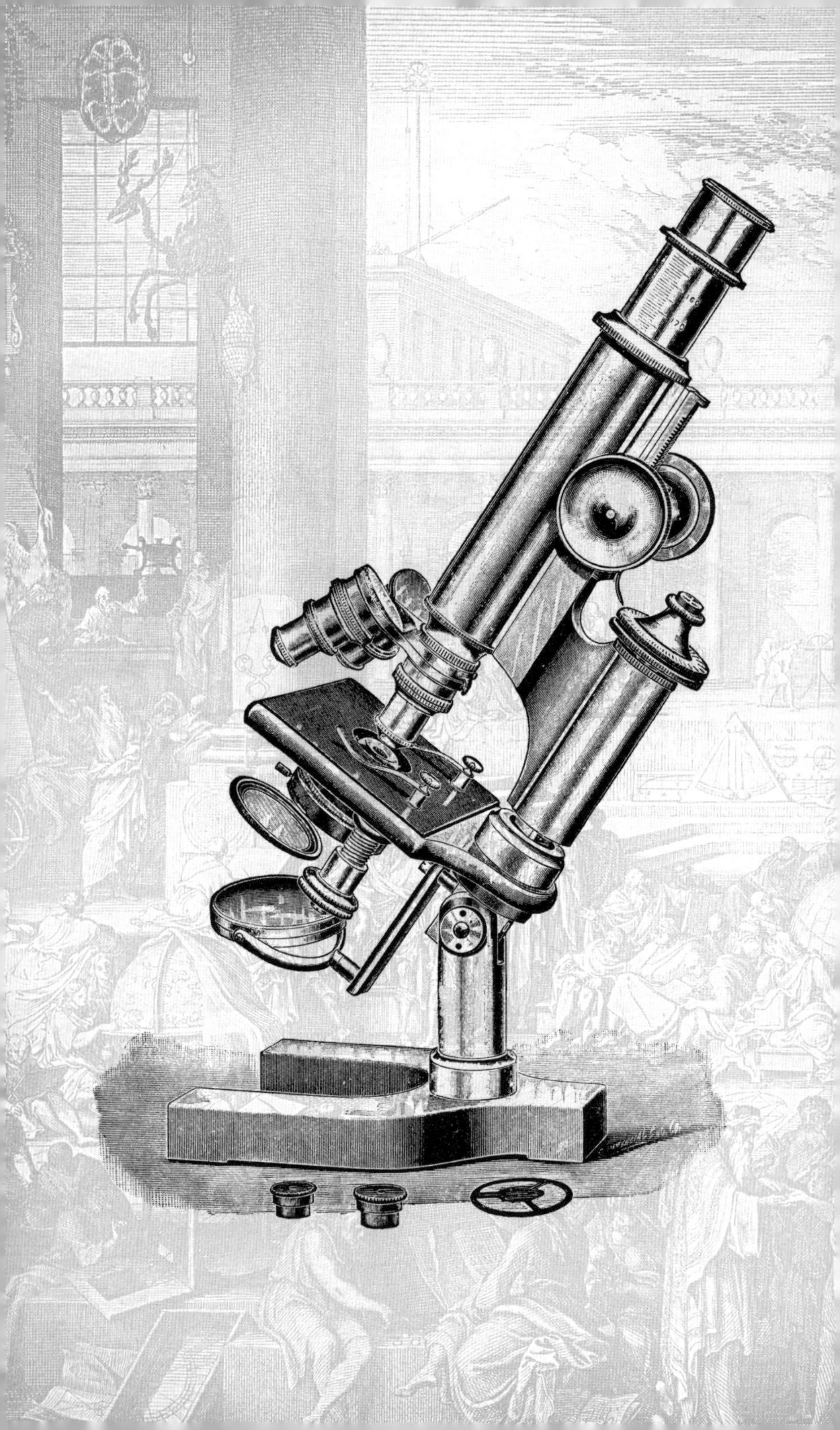

NICOLA CHALTON & MEREDITH MacARDLE

A HISTÓRIA DA CIÊNCIA

PARA QUEM TEM PRESSA

Tradução
MILTON CHAVES

valentina

Rio de Janeiro, 2019

5ª edição

Para Felix, que deseja ser cientista um dia.

***

TÍTULO ORIGINAL
The Great Scientists in Bite-Sized Chunks

CAPA
Sérgio Campante

REVISÃO TÉCNICA
Carlos Nehab

DIAGRAMAÇÃO
Kátia Regina Silva | Babilonia Cultura Editorial

Impresso no Brasil
Printed in Brazil
2019

CIP-BRASIL. CATALOGAÇÃO NA PUBLICAÇÃO
SINDICATO NACIONAL DOS EDITORES DE LIVROS, RJ

C426h
5. ed.

Chalton, Nicola
A história da ciência para quem tem pressa / Nicola Chalton, Meredith MacArdle; tradução Milton Chaves. – 5. ed. – Rio de Janeiro: Valentina, 2019.
200p. il. ; 21 cm.

Tradução de: The great scientists in bite-sized chunks
ISBN 978-85-5889-047-2

1. Ciências – História. 2. Ciências – Aspectos sociais. 3. Invenções – História. I. MacArdle, Meredith. II. Chaves, Milton. III. Título.

17-42042 CDD: 509
CDU: 50(091)

Todos os livros da Editora Valentina estão em conformidade com o novo Acordo Ortográfico da Língua Portuguesa.

EDITORA VALENTINA
Rua Santa Clara 50/1107 – Copacabana
Rio de Janeiro – 22041-012
Tel/Fax: (21) 3208-8777
www.editoravalentina.com.br

SUMÁRIO

INTRODUÇÃO

Atualmente, a palavra ciência tem dois significados: a investigação do mundo que nos rodeia, e como essa investigação é realizada — o método científico. Vários ramos da ciência estudam, literalmente, tudo que existe no universo: desde a sua origem até as mais diminutas partículas; desde o corpo humano até as rochas e minerais; desde o poder dos relâmpagos até as forças invisíveis, tais como os raios X, a radioatividade e a gravidade.

Embora nossos primitivos ancestrais provavelmente se sentissem inclinados a olhar para o céu e se perguntassem como surgiu o mundo, ou coletassem suas primeiras plantas medicinais na natureza, o método científico em si é relativamente novo. Muitos dos antigos estudiosos apenas propunham hipóteses pessoais para explicar a realidade íntima das coisas, dos seres e dos fenômenos do mundo, e não pensavam na necessidade de testar suas teorias por meio de experimentos realizados com critério e racionalidade, de modo que pudessem ser reproduzidos indefinidamente e, assim, obtivessem os mesmos resultados comprobatórios das teses aventadas.

Hoje em dia, para o cientista, seria impensável não apresentar provas cabais de uma nova teoria. Em algumas áreas da ciência, como a astronomia, nem sempre é possível realizar experiências, mas sim previsões, embora seja possível também fazer observações, objetivando-se verificar ou rejeitar uma hipótese.

Entre os primeiros defensores do método científico com bases empíricas, temos os antigos filósofos-cientistas gregos: o árabe especialista em óptica Ibn Al-Haitham, o médico da Idade Média Roger Bacon e o astrônomo italiano Galileu Galilei. Mas a grande mudança nas atitudes científicas ocorreu no século XVII, com o método de investigação desenvolvido por uma das mentes científicas mais brilhantes de todos os tempos: Isaac Newton. Ele propôs "regras ou princípios de raciocínio" que envolviam proposições e experimentos, fazendo com que, pouco depois, todos os estudiosos da natureza começassem a usar seu método.

Na maioria dos ramos da ciência existe o consenso de que uma hipótese comprovada pode ser aceita como "verdade" científica, mas somente enquanto não se propõe uma nova teoria que possa refutá-la e oferecer um novo paradigma de compreensão de determinado aspecto da realidade. Desse modo, a ciência evolui e se expande à medida que novos conceitos substituem os antigos. A exceção é a matemática, pois, quando se prova a veracidade de um teorema, ele é verdadeiro para sempre. Nunca mais pode ser refutado. Aliás, a matemática, embora disciplina científica num sentido mais amplo, qual seja, o de envolver conhecimentos criteriosa e sistematicamente formulados, difere bastante das demais ciências naturais, que se ocupam com o estudo do universo físico. Enquanto os estudiosos das ciências naturais se empenham na coleta de provas para criar e aperfeiçoar descrições da realidade ou modelos explicativos de aspectos do universo físico, os matemáticos se dedicam a fornecer a linguagem com a qual os seguidores das ciências naturais ambicionam descrever e analisar o universo. Nesse sentido, a matemática tem uma estreita relação com as ciências.

A ciência, por sua vez, está intimamente ligada à tecnologia, pois muitas descobertas e avanços científicos levam a transformações tecnológicas: a invenção da lâmpada incandescente, atribuída a Thomas Edison, contou com a contribuição de séculos de estudos da eletricidade; a exploração espacial, entre muitos outros benefícios, nos deu calendários e avançada tecnologia de fabricação de cerâmicas, tais como as usadas em espaçonaves. Da mais variada tecnologia na área da medicina a computadores e smartphones, sem os quais já não mais vivemos, a ciência causou profundas transformações em nosso dia a dia, em todos os sentidos.

Logicamente, a ciência não existiria sem pessoas apaixonadas pelo desejo de descobrir o modo pelo qual o mundo funciona. Por isso mesmo, este livro apresenta um resumo dos feitos de grandes cientistas que moldaram, ao longo da história, nossa compreensão do universo.

Astronomia e Cosmologia: Uma Visão Científica do Universo

Desde tempos remotos, os seres humanos vêm tentando entender o universo observando corpos celestes fora de nosso mundo — o Sol, a Lua, as estrelas e os planetas. As civilizações babilônica e egípcia, quando perceberam que os fenômenos astronômicos se repetiam e obedeciam a determinados ciclos, começaram a mapear a posição das estrelas no firmamento e se tornaram capazes de prever fenômenos cósmicos, tais como eclipses, cometas, e os movimentos da Lua e das estrelas mais brilhantes. Seus registros formaram a base para a medição do tempo e a navegação.

Lançando mão de séculos de observações feitas antes das civilizações já citadas, os antigos gregos deram nomes a grupos de estrelas, ou constelações, em homenagem a figuras mitológicas, como Órion, o caçador, e Gemini, termo designativo dos gêmeos Castor e Pólux. As 48 constelações listadas por Ptolomeu lá no século I estão entre as 88 constelações usadas como referência para se navegar pelo céu. Assim também, foram os romanos que nos legaram os nomes com que batizaram alguns de nossos planetas: Mercúrio, Vênus, Marte, Júpiter e Saturno. Como refletiam a luz do Sol, esses astros eram vistos como "estrelas" brilhantes dependuradas na abóbada celeste.

No século XVII, a invenção do telescópio óptico mudou para sempre o conceito de um universo geocêntrico, ideia predominante até então. Dali em diante, ficou claro que o universo era muito maior do que se imaginava. Com esse instrumento, capaz agora de realizar buscas mais profundas pelo universo, astrônomos descobriram a existência de outros planetas no sistema solar (Urano e Netuno), bem como planetas menores ou asteroides, satélites (luas), planetas-anões (como Plutão), nuvens de gás, poeira cósmica e até galáxias inteiras.

Hoje em dia, fazem parte do arsenal de instrumentos de observação astronômica telescópios por satélite, capazes de detectar radiações emitidas por corpos celestes situados a enormes distâncias, e sondas espaciais que transmitem, da imensidão cósmica para nós aqui na Terra, informações de outros planetas. Munidos com esses instrumentos poderosos, astrônomos vêm descobrindo cada vez mais a respeito das partículas e forças cósmicas que constituem o universo, processos pelos quais estrelas, planetas e galáxias evoluem astrofisicamente, bem como elementos mais seguros para se compreender a forma como o universo nasceu. Eles descobriram também uma parte do universo que nunca pode ser vista com nenhum tipo de telescópio. Essa "matéria escura" está se revelando um dos maiores mistérios da astronomia.

Os Primeiros Mapas Estelares: Gan De

Acredita-se que o astrônomo chinês Gan De (*c.* 400–*c.* 340)* e seu contemporâneo Shi Shen foram os primeiros astrônomos da história a compilar uma lista de estrelas, ou mapa estelar. Gan De viveu no turbulento Período dos Estados Guerreiros, quando a passagem regular de Júpiter, o maior planeta do nosso sistema solar, com sua luz brilhante e visível pelos céus da Terra, durante 12 anos, era

---

* Nos casos em que obviamente o ano em questão é antes de Cristo, e como a ideia do livro é ser sintético ao máximo, o a.C. foi suprimido. (N.E.)

usada para contar os anos. Por isso, o astro era alvo de intensas observações e base de muitas previsões. Sem telescópios, que ainda não existiam, Gan De e seus colegas podiam contar apenas com os próprios olhos, mas, ainda assim, conseguiram fazer cálculos precisos para orientá-los quanto às melhores épocas para se fazer observações astronômicas.

No céu noturno do território chinês, Gan De viu e catalogou mais de mil estrelas, e reconheceu, pelo menos, mais de uma centena de constelações na cúpula celeste chinesa. Seu mapa estelar era mais abrangente do que o primeiro produzido pelo Ocidente, elaborado 200 anos depois pelo astrônomo grego Hiparco, que relacionou em seus registros cerca de 800 estrelas.

A observação de Gan De daquelas que eram, quase certamente, as quatro grandes luas de Júpiter, foi o primeiro registro conhecido no mundo da observação de um satélite do gigantesco planeta — feito logrado muito antes de Galileu Galilei, em 1610, ter "descoberto" esses satélites oficialmente, usando seu telescópio recém-desenvolvido.

Shi Shen e Gan De foram os primeiros astrônomos a desenvolver um método de medição preciso da duração de um ano, ou seja, 365 ¼ dias. Em 46 a.C., o astrônomo grego Sosígenes de Alexandria seria contratado por Júlio César para adaptar o calendário romano com base nesse método. O resultado foi o calendário juliano — que continuou a ser usado em toda a Europa e no norte da África até 1582 —, e depois houve a adoção do calendário gregoriano, ainda corrente nos dias atuais.

A Visão Geocêntrica do Cosmo: Aristóteles

No século IV a.C., enquanto os antigos estados chineses lutavam entre si pela supremacia política, a cultura clássica grega ia se espalhando por inúmeras colônias da parte oriental do Mediterrâneo, estabelecendo as sólidas bases que sustentariam o pensamento ocidental na era moderna.

Os gregos achavam que estavam no centro do cosmo, e as cintilantes luzes noturnas da abóbada celeste fortaleciam essa crença. As estrelas nasciam e depois se punham no horizonte, como se estivessem viajando. (A ilusão resulta do fato de que a Terra gira em torno do próprio eixo: assim, parece que as estrelas se movem pelo céu na direção do Ocidente, simplesmente porque a Terra roda no sentido leste.)

Eles identificaram as chamadas "estrelas errantes", cujas posições mudavam em relação às "estrelas fixas" que cintilavam ao fundo, segundo pensavam. Tais astros errantes eram o Sol e a Lua e os cinco planetas do sistema solar conhecidos até então: Mercúrio, Vênus, Marte, Júpiter e Saturno. Os gregos concluíram que o cosmo, ou universo, era formado pela Terra — uma esfera perfeita (e não plana, tal como acreditavam as culturas primitivas) que se mantinha estacionária no centro de tudo que existia —, com os corpos celestes (o Sol e os demais planetas visíveis) orbitando, em movimentos uniformes e círculos perfeitos, em torno dela. As "estrelas fixas" localizavam-se na esfera celeste externa — o movimento dessas estrelas distantes foi observado somente no século XIX.

A essa "teoria geocêntrica", o grande filósofo natural e cientista Aristóteles acrescentou suas próprias ideias. De acordo com ele, a Terra e os céus eram formados por cinco elementos: quatro terrenos (terra, ar, fogo e água), além de um quinto, um material que enchia os céus e se distribuía por conchas concêntricas à Terra chamado Éter. Cada uma dessas conchas concêntricas abrigava um dos corpos celestes que giravam em torno da Terra num ritmo uniforme e num círculo perfeito. Na concha mais externa de todas, ficavam as estrelas, eternamente fixas na cúpula celeste. Segundo ele, os elementos terrenos nasciam, envelheciam e morriam, mas os céus eram perfeitos e imutáveis.

As ideias cosmogônicas (ou seja, de criação do universo) de Aristóteles foram aceitas pelo mundo árabe e voltaram a ser adotadas na Europa cristã durante a Idade Média.

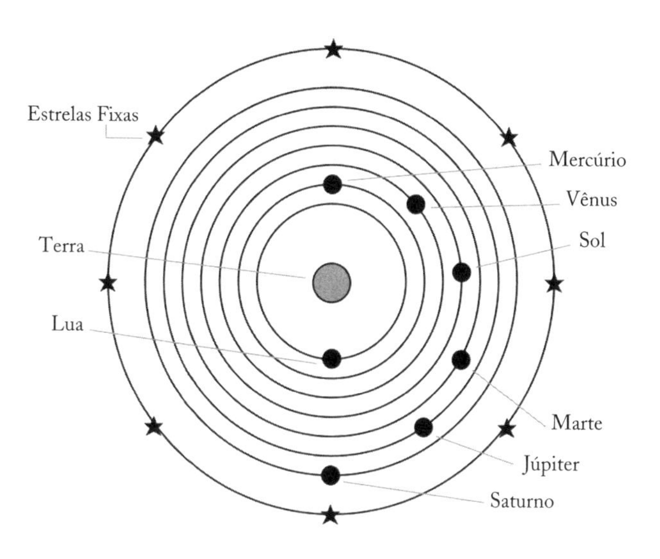

O sistema astronômico geocêntrico da organização do universo era a visão predominante na Grécia Antiga.

ARISTÓTELES (384-322)

Aristóteles foi um gigante intelectual do mundo grego clássico, e suas ideias tiveram duradoura influência no Ocidente. Nascido no seio de uma família macedônia cujo progenitor era médico, ele foi um dos filósofos mais famosos da escola de Platão em Atenas.

A certa altura da vida, resolveu deixar Atenas, possivelmente por não ter sido designado diretor da Academia após a morte de Platão e, talvez também, porque as guerras expansionistas de Filipe da Macedônia tornaram os macedônios malquistos entre os gregos. Mas ele voltou para a cidade em 335/34, depois que Alexandre, o Grande — o filho de Filipe e aluno de Aristóteles — conquistou a Grécia.

Enquanto dirigia o Liceu, sua própria escola em Atenas, Aristóteles continuou a realizar amplos estudos sobre quase todo tipo de disciplina existente até então. Seu método de ensino e debate consistia em caminhar com os alunos enquanto discutiam determinados assuntos, razão pela qual os adeptos do aristotelismo costumam ser chamados de peripatéticos (ou seja, itinerantes).

Após a morte de Alexandre, sentimentos de hostilidade em relação aos macedônios voltaram a grassar nas terras gregas, fazendo com que Aristóteles fugisse da cidade. Segundo consta, declarou, numa referência à execução do filósofo Sócrates, morto com a ingestão compulsória de cicuta 70 anos antes: "Não permitirei que os atenienses pequem duas vezes contra a filosofia."

A Precessão dos Equinócios: Hiparco

A cultura grega clássica fluiu em direção ao Oriente, na esteira da nave de conquistas guerreiras de Alexandre, o Grande, inspirando muitos eruditos, como Hiparco (*c.* 190–*c.* 120) de Niceia (atual Turquia).

Enquanto elaborava um mapa estelar, Hiparco notou que as posições das estrelas não correspondiam às dos registros anteriores: havia um deslocamento inesperado. Acabou por concluir que era a Terra em si que se movia, e não as estrelas. Ele havia percebido a "oscilação" do planeta enquanto ele girava em torno do próprio eixo — por comparação, basta imaginarmos a lenta oscilação de um pião rodopiando sobre um plano, representado pelo chão, com seu eixo balouçante descrevendo uma trajetória circular, ora com o brinquedo pendendo para um lado, ora para outro.

Um ciclo completo dessa natureza envolvendo uma esfera como a Terra, causado pela oscilação de seu eixo durante o movimento de rotação, dura cerca de 26.000 anos — número calculado com muita precisão por Hiparco.

Ele chamou essa oscilação de precessão dos equinócios, pois ela permite que os equinócios (as duas datas do ano, em março e setembro, em que o dia e a noite têm duração idêntica) ocorram um pouco antes do que o esperado em relação às "estrelas fixas".

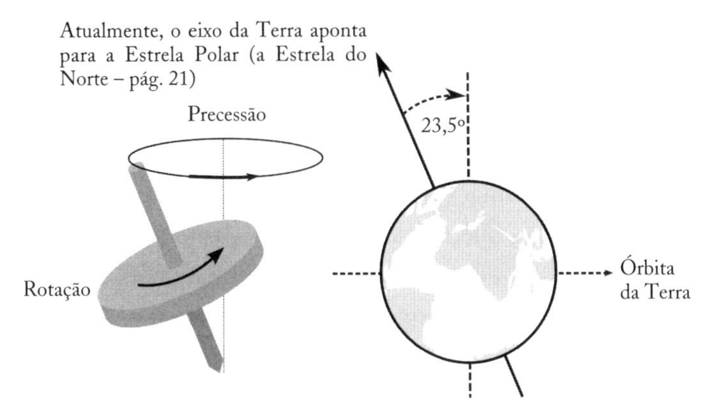

A precessão dos equinócios — a Terra se inclina no próprio eixo num ângulo de 23,5º e oscila como um pião enquanto realiza o movimento de rotação, mas lentamente: uma oscilação (ou "círculo de precessão") a cada 26.000 anos. A oscilação afeta os equinócios, ou o tempo de ocorrência das estações.

Com o tempo, essa diferença fez as estações passarem a ocorrer em épocas diferentes nos antigos calendários. Estes eram baseados na medida do ano solar (o "ano sideral"), ou seja, o tempo que o Sol aparentemente demora para passar de uma posição no céu indicada por uma estrela fixa para a mesma posição quando observado da Terra (ou, como sabemos agora, o tempo que a Terra leva para girar uma vez em torno do Sol). Hiparco solucionou o problema inventando uma nova forma de medir a duração do ano, o "ano trópico", ou o tempo que o Sol leva para passar, em sua aparente revolução pela sua órbita, de um equinócio ao mesmo equinócio novamente. Cerca de 20 minutos mais curto do que o ano sideral, o ano trópico é a base de elaboração do nosso moderno calendário gregoriano. Ele nos permite constatar que as estações ocorrem nos mesmos meses do calendário todos os anos.

Hiparco se baseou em dados babilônicos para calcular a duração dos anos sideral e trópico com grande precisão: aliás, com muito mais precisão do que Ptolomeu, que nasceu cerca de 250 anos depois, mostrando quanto ele, Hiparco, estava à frente de seu tempo.

Um Cosmo Matemático: Ptolomeu

Ptolomeu, que nasceu no final do primeiro século da Era Cristã e foi o último dos grandes astrônomos da Grécia Antiga, adotou também a visão geocêntrica da Terra, ou seja, de astro posicionado no centro do cosmo. Sua contribuição para a ciência foi a criação do primeiro modelo do universo, que explicaria e serviria para prever os movimentos do Sol e dos planetas em linguagem matemática. Seu modelo parecia responder à pergunta que vinha intrigando os gregos por quase 1.400 anos: por que — se um planeta girava em torno da Terra, considerada então o centro do universo — parecia que, às vezes, ele se movia para trás em relação às posições das "estrelas fixas" que havia atrás dele?

Apesar das convicções fundamentais de Ptolomeu, ele teve que violar, para explicar matematicamente os movimentos de corpos celestes, suas próprias leis, presumindo que a Terra não ficava exatamente no centro das órbitas planetárias. Com uma atitude lógica e racional, ele e seus seguidores aceitaram tal deslocamento conhecido como "excentricidade orbital", classificando-o como um problema insignificante na teoria geocêntrica essencial.

Ptolomeu usou uma combinação de três conceitos geométricos. O primeiro deles, a excentricidade orbital, que não era novo; tampouco o segundo, o epiciclo. Com isso, ele propôs que os planetas não girassem simplesmente em torno da Terra em grandes órbitas circulares, mas, ao contrário, se movessem em pequenos círculos ligeiramente ovalados, ou epiciclos. O centro desses epiciclos, por sua vez, rodariam em torno de uma circunferência maior (o deferente) centrada (excentricamente) na Terra. O giro do astro ao longo do epiciclo explicaria por que, às vezes, os planetas parecem mover-se para trás, ou em "movimento retrógrado" (diagrama na página seguinte).

Seu terceiro conceito — o equante — foi revolucionário. Com ele Ptolomeu explicou por que, às vezes, os planetas pareciam mover-se mais devagar ou mais rapidamente, em vez de uniformemente, quando observados da Terra. Ele propôs que o centro de rotação do epiciclo sobre a circunferência de seu círculo maior (o deferente) não fica alinhado nem com a Terra nem com o centro excêntrico desse círculo maior, mas com um terceiro ponto, o equante, que se acha situado num ponto do espaço oposto à posição da Terra e localizado à mesma distância do centro do círculo maior em que o nosso planeta se situa. Somente do ponto de vista do equante se tem a impressão de que o planeta se move uniformemente.

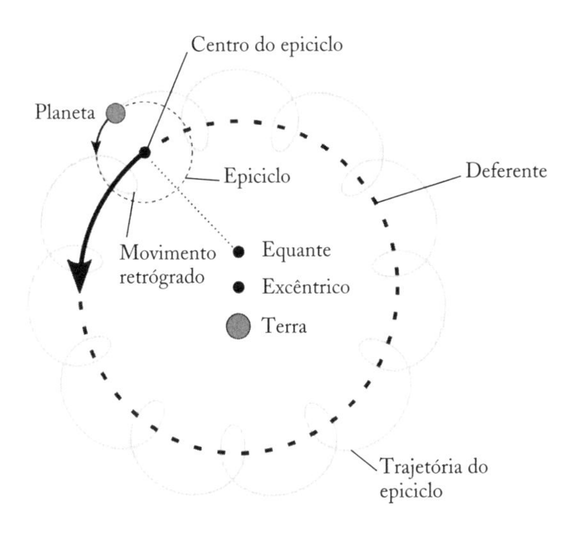

Com seu modelo geocêntrico, Ptolomeu situava a Terra não exatamente no centro das órbitas planetárias e parecia explicar os movimentos retrógrados (para trás) dos planetas.

Esses três conceitos matemáticos — epiciclo, excentricidade orbital e equante — eram considerados complexos e insatisfatórios para os intelectuais ortodoxos, mas pareciam explicar alguns aspectos intrigantes dos fenômenos astronômicos, tais como o movimento retrógrado dos planetas e a razão pela qual os orbes planetários pareciam mais brilhantes e, portanto, mais próximos da Terra em diferentes épocas. Conjuntamente, eles permitiram que se fizessem previsões das posições dos planetas, que se aproximam das obtidas com base na moderna visão heliocêntrica do universo, na qual os planetas orbitam em torno do Sol em trajetórias elípticas.

PTOLOMEU (*c.* 90–*c.* 168)

Ptolomeu viveu no Egito quando o território era uma província do Império Romano. Embora seu nome de batismo, Cláudio, seja de origem romana, seu sobrenome latino, Ptolomeu, sugere uma ascendência grega. Aliás, ele compunha seus escritos em grego e fazia suas observações astronômicas na cidade de Alexandria, cuja magnífica biblioteca atraía antigos estudiosos de todos os ramos do conhecimento.

Até que Ptolomeu iniciasse seus escritos acerca do assunto, prevalecera, desde os dias de Hiparco, um hiato de 200 anos nas atividades e nos estudos astronômicos. E foi somente graças a Ptolomeu que agora conhecemos o trabalho de Hiparco. Ptolomeu era um grande elaborador de sínteses e admitiu ter usado teorias formuladas por estudiosos do passado em sua explicação sobre o funcionamento do universo.

Registros Astronômicos no Mundo Árabe: al-Battani

As previsões de Ptolomeu sobre posições planetárias foram suplantadas em meados da Idade Média pelos conceitos do brilhante astrônomo e matemático árabe al-Battani (*c.* 858–929).

Descendente de um famoso fabricante de instrumentos e também astrônomo, al-Battani viveu numa época em que os impérios muçulmanos incentivavam a educação e mantinham vivo o facho da ciência e da filosofia na Grécia e na Roma antigas. Situados na encruzilhada entre o Oriente e o Ocidente, estudiosos islâmicos também absorveram ideias das civilizações asiáticas da China e da Índia, incorporando-as, juntamente com suas descobertas, a um cabedal de conhecimentos transmitidos mais tarde aos europeus.

Al-Battani elaborou um conjunto de minuciosas tabelas astronômicas apresentando as posições do Sol, da Lua e dos planetas, tabelas em que era possível prever suas futuras posições. Suas "Tabelas Sabianas" eram as mais precisas da época e influenciariam bastante o mundo latino.

Em vez de empregar métodos geométricos, tal como já haviam feito outros astrônomos, al-Battani usava a trigonometria em seus cálculos astronômicos. Ele constatou, com uma precisão incrível, que nosso ano solar dura 365 dias, 5 horas, 46 minutos e 24 segundos, cometendo um erro de apenas alguns minutos em relação à medição atual: 365 dias, 5 horas, 48 minutos e 45 segundos. E descobriu um fenômeno que escapara à percepção de Ptolomeu: o fato de que a distância da Terra em relação ao Sol, bem como a distância da Lua relativamente ao nosso planeta, varia ao longo do ano. Como resultado, ele conseguiu prever corretamente eclipses anulares do Sol, nos quais a Lua cobre o disco solar quase totalmente, ficando visível apenas um aro, ou "anel de fogo", do Astro-Rei.

Al-Battani era tão respeitado que o revolucionário matemático e astrônomo Nicolau Copérnico reconheceria o valor de seu trabalho 600 anos depois.

Navegação com Base na Estrela Polar: Shen Kuo

No século XI, navegadores marítimos contavam com pontos de referência terrestres e com a observação de corpos celestes, incluindo a estrela polar setentrional, ou "Estrela do Norte", para se orientar em suas navegações.

A Estrela do Norte fica num ponto do firmamento mais ou menos coincidente com a projeção do eixo imaginário da Terra e bem acima da cabeça de uma pessoa em pé no Polo Norte. À medida que a Terra gira sobre o próprio eixo, um observador situado no Hemisfério Norte tem a impressão de que as estrelas rodopiam em torno do planeta — com exceção da Estrela do Norte, que permanece fixa, o que faz dela, para os navegantes dos mares, um excelente indicador da posição do Polo Norte geográfico. Também pode ser usada para determinar a posição latitudinal (coordenadas norte-sul), medindo sua altura acima do horizonte.

Desde a Antiguidade Clássica, a Estrela Polar (Polaris) tem exercido o papel de indicador da posição do Polo Norte, mas, em razão da precessão dos equinócios — a lenta oscilação da Terra resultante de seu movimento de rotação (pág. 16) —, o Polo Norte apontará, por volta do ano 3000, para outra estrela polar conhecida como Gamma Cephei, ou Alrai; e, mais ou menos no ano 15000, essa função orientadora passará a ser da estrela conhecida como Vega. Como podemos inferir, Polaris só voltará a ser a Estrela do Norte num futuro bem distante.

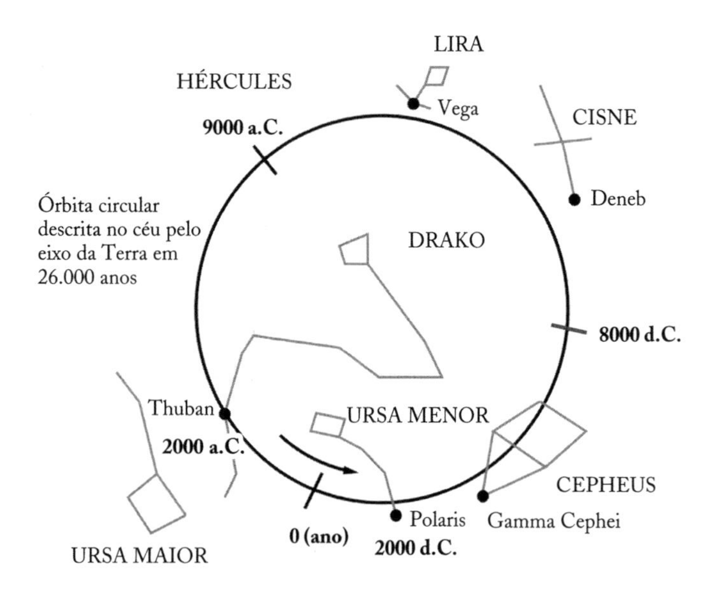

Em razão da oscilação da Terra (a precessão dos equinócios),
Polaris não será a Estrela do Norte para sempre.

O polímata (sábio) e funcionário público chinês Shen Kuo (1031-95), junto com seu colega Wei Pu (atuante a partir de 1075), mediu, todos os dias, a posição da Estrela Polar durante cinco anos. Mais tarde, ele registrou, na China, a invenção de uma bússola com agulha magnética, usada depois por navegadores de toda a Europa e Oriente Médio. Ele foi o primeiro a descobrir que agulhas magnéticas apontam para o norte e o sul magnéticos, e não para o norte e o sul geográficos, ou verdadeiros.

Tabelas Astronômicas Árabes e Astrolábios: Azarquiel

Azarquiel (1029-1087), também conhecido como al-Zarqali, nasceu em Toledo, quando da Espanha islâmica, cidade que, na época, era um importante centro de estudos, embora vivesse sob ataques constantes dos cristãos espanhóis. Ele ganhava a vida fabricando delicados instrumentos científicos, até que um dia seus clientes o incentivaram a estudar matemática e astronomia. Mais tarde, ele elaborou as Tabelas Toledanas, amplamente aceitas como as mais precisas tabelas astronômicas produzidas até então e, já no século XII, usadas em toda a Europa.

As Tabelas Toledanas ajudaram os astrônomos a prever os movimentos do Sol, da Lua e dos planetas em relação às estrelas “fixas”, e, muitos anos depois, a ocorrência de eclipses solares e lunares. Elas foram adaptadas para que pudessem ser úteis em diferentes locais do Ocidente cristão e serviram de base para a elaboração das Tabelas Alfonsinas (*c.* 1252-1270), cuja utilização perdurou na Europa até o século XVI.

Azarquiel deu outra importante contribuição à ciência astronômica quando desenvolveu um novo tipo de astrolábio. Hiparco já tinha inventado um modelo por volta do ano 150 a.C., mas o instrumento de Azarquiel podia ser usado em qualquer latitude para medir a altitude do Sol, da Lua e das estrelas, e determinar a latitude.

No mundo medieval arábico, astrolábios eram importantes também para programar os horários das preces islâmicas; com o tempo, eles seriam desenvolvidos para ajudar a navegação.

Astronavegação e a Era da Exploração: Abraão Zacuto

Abraão Zacuto, cientista e rabino, nasceu na Espanha do século XV, numa época em que a maioria dos navegantes europeus seguia rotas marítimas bem conhecidas, costeando o litoral do continente. Zacuto mudaria tudo isso com seu importante equipamento de navegação, instrumento que permitiu que exploradores europeus atravessassem os oceanos rumo às Américas e às Índias Orientais.

Um dos grandes feitos de Zacuto foi o desenvolvimento das tabelas de declinação solar, usadas para navegação durante o dia (a estrela polar era usada como referência à noite). Com um astrolábio adaptado para utilização em navegação marítima e com essas tabelas, o navegante conseguia determinar a latitude de um navio com base na altitude do Sol (que varia em diferentes épocas do ano), fazendo as medições a partir da embarcação. O medidor segurava o astrolábio metálico com seu disco graduado posicionado na vertical, configurando seu indicador de zero grau alinhado com a linha do horizonte e mantendo sua peça móvel apontada para o Sol, cuja altitude era determinada fazendo-se a leitura da escala graduada. Além disso, comparando a altitude do Sol, num ponto qualquer do mar, com a altitude registrada em dado ponto de partida (digamos, Lisboa), os navegadores podiam calcular a distância a que estavam ao norte ou ao sul de Lisboa.

Essas técnicas foram utilizadas para elaborar cartas marítimas, sendo de valor inestimável para navegantes que se aventuravam por águas nunca dantes navegadas, entre os quais podemos citar Bartolomeu Dias, Vasco da Gama e Cristóvão Colombo.

Zacuto publicou um almanaque com tabelas que previam fenômenos celestes, também famosas pelo fato de terem ajudado a salvar a vida de Cristóvão Colombo. Durante sua quarta viagem ao Novo Mundo, Colombo e sua tripulação correram o risco de serem mortos por um grupo de nativos, mas, como Colombo sabia, com base no almanaque de Zacuto, que haveria um eclipse lunar total em 29 de fevereiro de 1504, resolveu se aproveitar disso, dizendo aos índios que o desaparecimento da Lua mostraria que seu deus estava zangado com eles. Quando a Lua reapareceu, ele anunciou que era um sinal de que os nativos tinham sido perdoados, artimanha que mudou rapidamente a atitude hostil deles.

Duzentos anos depois, o sextante, instrumento de medição mais preciso, substituiria o astrolábio e se tornaria o instrumento-padrão na astronavegação, embora os navegantes tivessem que esperar a invenção do cronômetro (equipamento que medisse com boa precisão "tempo decorrido", pois, à época, os "relógios" eram insuficientemente precisos para a navegação), ocorrida no século XVIII, para medir longitudes e, assim, determinar com precisão sua posição em alto-mar.

ABRAÃO ZACUTO (*c.* 1452–1515)

Séculos atrás, as comunidades judaicas ibéricas, estabelecidas na península desde longa data, muito se beneficiaram com o contato com a cultura árabe, gerando assim, entre os seus, um grande número de estudiosos e eruditos. Zacuto foi um deles, um homem da Renascença com um amplo leque de interesses. Tanto que incentivou seu amigo, o navegador-explorador Cristóvão Colombo, a perseverar em seu sonho de alcançar a Ásia por vias marítimas.

Quando, em 1492, os monarcas Fernando e Isabel exigiram que os judeus escolhessem entre converter-se ao cristianismo ou deixar a Espanha, Zacuto partiu para Portugal, estabelecendo-se em Lisboa. Lá, conquistou em pouco tempo o cargo de astrônomo e historiador real. Consultado pelo Rei Manuel e pelo navegante

Vasco da Gama, Zacuto concordou com a ideia de que era possível uma viagem de exploração ao Oriente. Todavia, naquele mesmo ano, o Rei Manuel mandou que divulgassem um ultimato determinando que os judeus portugueses se convertessem ao cristianismo, ou partissem. Zacuto e seu filho Samuel estavam entre os poucos judeus que conseguiram fugir a tempo, mas, durante a viagem para um refúgio no norte da África, foram capturados duas vezes por piratas e mantidos reféns.

Zacuto acabou parando em Túnis, mas o eterno receio de uma invasão espanhola o forçou a seguir adiante, e ele vagueou pelo norte da África até finalmente se estabelecer na Turquia.

Resolvendo o Problema da Longitude: John Harrison

O avanço tecnológico pelo qual os navegadores marítimos esperavam veio na década de 1770, quando um relojeiro inglês autodidata, John Harrison (1693-1776), solucionou o "problema da longitude" com a invenção do cronômetro de navegação marítima.

Até então, os navegantes enfrentavam imensas dificuldades para calcular a latitude (a posição deles na coordenada leste-oeste). O navegador Américo Vespúcio (1454-1512) chegou a se queixar:

> No que se refere à latitude, confesso que encontrei tanta dificuldade para determiná-la que sofri muito para calcular a distância que eu havia percorrido de leste a oeste. O resultado final de meus esforços foi que não achei nada melhor para fazer do que realizar observações noturnas da conjunção de um planeta com outro e, principalmente, da conjunção da Lua com outros planetas, pois a Lua percorre sua trajetória mais rapidamente do que qualquer outro planeta. Comparei o resultado de minhas observações com os de um almanaque.

Seu instrumento permitia que se fizesse um cálculo aproximado da longitude, mas só podia ser usado quando o navegador tivesse informações sobre a previsão de algum fenômeno astronômico e requeria também que ele soubesse o momento exato de sua ocorrência, o que era difícil para navegantes que estivessem muito longe de seus locais de partida.

Outra técnica usada na época envolvia a comparação da hora do local do navio no mar (olhando o observador para a posição do Sol) com a hora de outro local conhecido. Por exemplo, a hora em que o navio deixara o ponto de partida, registrada num relógio de bordo, para se estimar a distância que a nave avançara ou percorrera no sentido leste ou oeste. E isso fica perfeitamente compreensível quando consideramos que as linhas de longitude imaginárias são traçadas de tal modo que cada 15 graus de longitude (viajando o navegante tanto para leste quanto para oeste) correspondem a uma hora a mais ou a menos em relação à hora local. Contudo, mais uma vez, o problema era conhecer a hora exata por ocasião do cálculo.

O cronômetro de Harrison, ou "relógio marítimo" portátil, forneceu uma solução para o problema. Muito mais preciso do que os melhores relógios existentes até então, seus mecanismos conseguiam resistir às variações climáticas no mar e aos movimentos do navio. O navegador-explorador britânico Capitão James Cook ficou orgulhoso do instrumento quando circum-navegou o globo em 1772-5. O modelo usado por ele pode ser visto hoje no National Maritime Museum, em Londres.

Em 1884, convencionou-se que o Meridiano Primário (0 grau de longitude) fosse o que atravessa o distrito de Greenwich, na Inglaterra. Dessa data em diante, todos os lugares da Terra passaram a ser medidos considerando-se sua distância a leste ou a oeste dessa linha. Navios modernos usam sistemas de navegação via satélite para registrar sua localização com precisão, mas, na maioria dos casos, levam consigo um cronômetro a bordo para o caso de emergência.

Nasce a Moderna Astronomia: Nicolau Copérnico

Em 1543, a publicação da teoria heliocêntrica de Copérnico representou o primeiro questionamento sério da validade do sistema cosmológico geocêntrico. Johann Wolfgang von Goethe comentaria mais tarde a esse respeito: "De todas as descobertas e opiniões, nenhuma exerceu uma influência maior no espírito humano do que a doutrina de Copérnico. Mal havia o mundo passado a ser conhecido como uma esfera integral, solicitaram que a Terra fosse dispensada do formidável privilégio de ser o centro do universo."

O sistema geocêntrico de Ptolomeu, ao qual se deu certa credibilidade com base nas escrituras bíblicas, havia predominado na Europa por 1.500 anos até então. Harmonizava-se com a aparência dos céus aos olhos do observador comum, e, posto no centro de todas as coisas criadas por Deus, satisfazia aos íntimos anseios da natureza humana. Mas Copérnico percebeu a lógica do heliocentrismo: "No centro está o Sol. Pois quem seria capaz de pôr essa luz de um templo lindíssimo em outro local ou num lugar melhor do que esse, donde ele consegue iluminar tudo ao mesmo tempo?"

A grande vantagem do sistema astronômico de Copérnico era a simplicidade. Com ele, para se entender essa realidade, não era necessário lançar mão de um conjunto complexo de fórmulas e estudos geométricos para explicar o movimento dos planetas, característica do sistema astronômico ptolomaico, pois, com o novo sistema, era possível constatar que seu aparente movimento retrógrado era apenas ilusório, e não real, e que essa ilusão se devia ao movimento da Terra. Ele punha o Sol no centro de todos os planetas de nosso sistema estelar, ao redor do qual giravam, em ordem de proximidade, Mercúrio, Vênus, Terra (e a Lua), Marte, Júpiter e Saturno, além de uma enorme esfera de estrelas fixas. A Terra girava em torno do próprio eixo, levando um dia para completar tal volta, enquanto a Lua realizava um movimento completo ao redor da Terra a cada mês, ao passo que nosso planeta, flutuando no espaço com seu imaginário eixo inclinado, precisava de um ano para efetuar uma volta completa em torno do Sol.

Como seria de imaginar, o heliocentrismo provocaria muitos protestos do público em geral e deixaria a Igreja aflita, mas também sinalizaria o início da chamada Revolução Científica.

NICOLAU COPÉRNICO (1473-1543)

Nascido no seio de uma família rica, Copérnico deve ter tomado conhecimento da teoria de Ptolomeu na Universidade de Cracóvia, onde estudou astronomia. Em 1501, foi designado cônego da catedral de Frauenberg, e seu cargo no clero lhe proporcionou tempo para estudar "medicina astrológica" — na Europa medieval, médicos usavam a astrologia em suas práticas medicinais, acreditando que as estrelas podiam influenciar o rumo dos assuntos e acontecimentos humanos.

Aparentemente, Copérnico não foi atingido pelos efeitos dos anos turbulentos da Reforma Protestante, podendo dedicar, assim, muitas horas em estudos solitários e fazer observações astronômicas de uma torre nas fortificações da cidade. Ele não dispunha de nenhum instrumento para auxílio nesse mister, já que o telescópio seria inventado somente cerca de um século depois.

Por volta de 1514, Copérnico divulgou, a um pequeno grupo de amigos, uma primeira versão do estágio de desenvolvimento de sua teoria do sistema heliocêntrico. Quando ele se achava à beira da morte, a versão completa foi para o prelo. O pastor luterano que supervisionou a impressão adicionou à obra um prefácio anônimo, classificando a teoria, em oposição à opinião de Copérnico, como um instrumento matemático prático para o mapeamento dos movimentos dos planetas, e não uma verdade sobre o mundo em geral. Somente no início do século XVII a Igreja rejeitaria o sistema heliocêntrico.

Defendendo o Heliocentrismo: Johannes Kepler

Depois de Copérnico, o primeiro astrônomo a defender abertamente uma teoria heliocêntrica do universo foi o astrônomo e gênio da matemática alemão Johannes Kepler.

Cristão convicto, Kepler acreditava que Deus havia concebido um projeto de base geométrica para criar o cosmo; achava que ficaria mais perto do Criador se conseguisse entender o plano divino.

Baseando-se na geometria euclidiana, desenvolveu um método para explicar as trajetórias orbitais de cada um dos planetas conhecidos e descobriu que o Sol era o ponto em torno do qual todos eles giravam. Concluiu também que o Sol era o centro e o agente propulsor dos planetas em suas órbitas. O modelo refletia sua visão espiritual do universo: o Deus-Pai, tal como uma grande e poderosa estrela, no centro da Criação — modelo que se harmonizava também com o heliocentrismo.

Depois disso, passou anos esforçando-se para compreender a instável órbita de Marte (teve acesso, por acaso, a informações sobre o planeta), chamando tal esforço de sua "Guerra contra Marte", até que, por fim, percebeu que sua suposição básica estava errada: "Parece que acordei de um sono profundo e vi uma nova luz acender-se diante de meus olhos." Concluiu, pois, que as órbitas de cada um dos planetas conhecidos em torno do Sol não podiam ser círculos perfeitos, tal como no sistema astronômico de Copérnico, mas elipses (trajetórias ovaladas) tendo o Sol como centro (essa conclusão se tornou a primeira das leis de Kepler). Por isso mesmo, ele inferiu que o planeta cuja órbita se encontra mais perto do Sol se move mais rapidamente, enquanto aquele cuja órbita fica mais distante se desloca mais lentamente. Todavia, verificou também que uma linha imaginária unindo o centro do Sol a um planeta em movimento determina áreas que, se iguais, corresponderiam a tempos iguais de deslocamento do planeta. Essa conclusão se tornou sua importante "lei" do movimento planetário, que pode ser usada para se determinar a que velocidade o planeta se moverá em dado ponto de sua órbita.

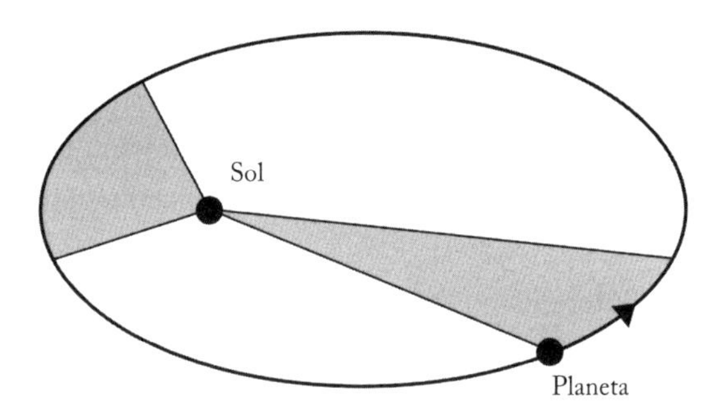

A Segunda Lei de Kepler: A linha imaginária que une o centro do Sol a um planeta em movimento se estende por áreas do espaço que, se iguais, determinam intervalos de tempo idênticos.

Com sua terceira "lei", ele usava a geometria e o conhecimento do período orbital do planeta para calcular sua distância do Sol.

As leis de Kepler de movimento planetário ajudaram a destronar a crença de que os planetas se moviam em órbitas perfeitamente circulares, crença essa que predominara entre os estudiosos de cosmologia por mais de dois mil anos. Oitenta anos depois, Isaac Newton apresentaria explicações matemáticas das teorias de Kepler e as usaria para elaborar seu trabalho sobre gravitação universal (pág. 36).

Kepler assentou os fundamentos para a moderna compreensão de muito do funcionamento do sistema solar e, com suas leis, nos proporcionou meios práticos para, por exemplo, calcularmos as órbitas de satélites artificiais ("satélite" foi um termo cunhado por ele) e espaçonaves.

Embora seja útil esse método descritivo do funcionamento do sistema solar, os astrônomos acabariam entendendo que a teoria do heliocentrismo não era verdadeira, rigorosamente falando, já que acreditavam que o Sol não era o centro do universo, mas apenas uma de suas inúmeras estrelas.

JOHANNES KEPPLER (1571-1630)

Kepler perdeu o pai, um soldado mercenário, quando tinha apenas cinco anos. O interesse por astronomia nasceu um ano depois, quando sua mãe o levou ao topo de uma colina para verem a passagem de um cometa.

Adepto do luteranismo durante toda a vida, ele pretendia tornar-se pastor, mas, como era costume na época, fez cursos sobre outros assuntos e, assim, tomou conhecimento da nova teoria do heliocentrismo, cuja validade acabou defendendo mais tarde. Ele dava aulas de matemática e astronomia na escola protestante de Graz (hoje na Áustria), mas o crescente conflito religioso na Europa interveio em sua vida — tal como ainda aconteceria muitas vezes. Os protestantes foram banidos de Graz, medida que fez com que Kepler e sua família se refugiassem em Praga, onde ajudou o astrônomo dinamarquês Tycho Brahe (1546-1601) a preparar um novo conjunto de tabelas astronômicas. Após a súbita morte de Brahe, em 1601, Keppler foi designado seu sucessor, passando a ocupar o cargo de matemático no reinado do Sacro-Imperador romano-germânico Rodolfo II e sendo incumbido de concluir as tabelas.

Kepler sentiu toda a pressão religiosa do conturbado século XVII quando, em 1620, Catarina, sua mãe, foi presa, acusada de bruxaria e ameaçada de ser submetida a sessões de tortura. Com seu empenho para ajudar a solucionar o doloroso caso, acabou conseguindo que a soltassem, mas somente depois de uma longa batalha jurídica.

Quando Praga se voltou contra os protestantes, Kepler teve que se mudar para Linz (hoje na Áustria) e depois para outro lugar, em 1626, quando as forças católicas cercaram aquela cidade, durante a Guerra dos Trinta Anos. Com seu trabalho paralisado por conflitos religiosos, e esgotado pelas consequências danosas de uma vida instável, o astrônomo sucumbiu aos efeitos de uma febre e morreu em Ratisbona (no sudeste da Alemanha). Seu túmulo nunca foi encontrado, mas seu epitáfio continua vivo:

Eu media os céus,
meço agora as sombras da Terra.
Embora minha alma seja do céu,
a sombra de meu corpo descansa aqui.

O Telescópio que Revolucionou a Astronomia: Galileu Galilei

Galileu é mais conhecido por ter construído o primeiro telescópio capaz de permitir que astrônomos observassem o sistema solar com um pouco mais de detalhes.

As melhorias feitas por ele, em 1609, no desenvolvimento do telescópio tornaram-no a primeira pessoa a direcionar para o firmamento um instrumento de ampliação de imagens realmente eficaz, bem como o primeiro a testemunhar, com tal instrumento, a existência de crateras e montanhas na Lua. Em 1610, realizou outras observações originais e interessantes, possibilitando um novo conhecimento do sistema solar: identificou a existência das quatro maiores luas de Júpiter, ao demonstrar que pelo menos alguns corpos celestes não giravam em torno da Terra; constatou também as fases de Vênus, indicando com isso que o planeta orbitava o Sol; e desvendou a existência de um número enorme de estrelas, revelando que o universo era muito maior do que se imaginava.

Em suma, Galileu concluiu que a Igreja estava equivocada ao defender a ideia de que o Sol e outros planetas giravam em torno da Terra. Ele declarou, numa carta em 1615: "Obviamente, com relação ao movimento do Sol e da Terra, [a interpretação d]as Sagradas Escrituras devem estar de acordo com a capacidade de compreensão das pessoas."

Muitas vezes reconhecido como "o pai da ciência moderna", Galileu usou em suas observações um método experimental quantitativo, que se tornou, mais tarde, a metodologia padrão na esfera da investigação científica. O processo envolve a realização de experiências cuidadosamente controladas e reproduzíveis para testar, a qualquer momento, a validade de uma hipótese específica (ideia) sobre o mundo natural. Depois, esses resultados são expressos em linguagem matemática e acompanhados — dependendo do grau de fidelidade com que correspondam às previsões feitas com base na hipótese —, do aperfeiçoamento da hipótese ou da conclusão de que ela é falsa. O processo continua em suas linhas de aperfeiçoamento e estudos suplementares, com o objetivo de chegar a uma teoria capaz de comprovar todas as evidências disponíveis.

GALILEU GALILEI (1564-1642)

Galileu nasceu em Pisa, na Itália, no seio de uma família nobre, mas decadente. Seu pai alimentava a esperança de ver o filho tornar-se um médico próspero e o enviou para a universidade. No entanto, sempre entediado com tudo que não se relacionasse com problemas matemáticos e filosofia natural, Galileu abandonou o curso, sem conquistar o diploma tão sonhado pelo pai.

Embora tivesse fama de excelente matemático, viveu em estado de extrema pobreza, tal como receava seu genitor. Voltou-se, então, para o ramo das invenções, conseguindo ser bem-sucedido financeiramente, graças à criação de um telescópio baseado numa invenção holandesa que ele nunca vira. Galileu aperfeiçoou o instrumento, produzindo outro que o capacitaria a fazer descobertas astronômicas notáveis, como a comprovação de que a Terra e os demais planetas orbitam em torno do Sol. Sua fama renovada lhe proporcionou o honroso cargo de matemático da corte de Cosme de Médici, o grão-duque da Toscana.

No entanto, a defesa que Galileu fazia do sistema heliocêntrico entrava em conflito com a doutrina da Igreja. Como o Tribunal da Inquisição havia condenado o filósofo e cosmólogo Giordano Bruno à fogueira, em 1600, talvez com esse exemplo em mente, Galileu tenha acabado se retratando. Por causa do episódio, tornou-se o símbolo do conflito entre religião e conhecimento científico.

Os Anéis de Saturno: Christiaan Huygens e Giovanni Cassini

Saturno, o segundo maior planeta do sistema solar, tem sido visto há milênios como uma bela estrela amarela e brilhante.

Quando Galileu voltou seu telescópio para o planeta, em 1610, achou que tinha localizado duas luas em cada lado. Contudo, 45 anos depois, munido de um telescópio mais potente, o astrônomo holandês Christiaan Huygens (1629-95) observou a existência do que pensou ser um "anel fino e achatado" ao redor do planeta, bem como uma lua (era Titã, o maior dos satélites naturais de Saturno). Depois, em 1675, o astrônomo italiano Giovanni Cassini (1625-1712) descobriu uma lacuna entre os anéis (a "divisão de Cassini") e outras quatro luas.

Avançando rapidamente para 2004 nas asas da tecnologia, veremos que a robótica sonda Cassini foi o primeiro artefato aeroespacial a entrar na órbita de Saturno e enviar para a Terra fotografias de suas complexas faixas circulares de fragmentos de rocha e gelo girando em torno desse gigante gasoso, constituindo os inconfundíveis anéis de Saturno. Com a presente missão, uma tentativa de ajudar o homem a entender como e por que essa estrutura de anéis se formou, os cientistas esperam obter conhecimentos mais profundos sobre eles, revelando algo mais das origens e da evolução de nosso sistema solar.

Os organizadores da missão conseguiram descobrir também a existência de água (em forma de vapor e gelo) sendo expelida de gêiseres no polo sul de Encélado, outra das luas de Saturno (são mais de 60 no total). Agora, cientistas acham que a explicação mais provável para isso é a existência de um oceano embaixo da crosta de gelo dessa lua. Logicamente, um ambiente com presença de água pode ser favorável à existência de vida microbiana. A descoberta ampliou a visão dos lugares no sistema solar que podem conter vida.

O Cimento do Universo: Isaac Newton e Albert Einstein

O físico e matemático britânico Isaac Newton (pág. 61) apresentou a primeira explicação científica sobre a forma pela qual o universo é mantido fisicamente coeso.

Em 1684, o astrônomo Edmond Halley (1656-1742) fez uma consulta a Newton a respeito das órbitas planetárias. Ficou assombrado quando soube que o físico tinha uma teoria científica completa para explicar o fenômeno: a gravitação como uma força universal que mantinha coesa a estrutura do universo.

Newton demonstrou que essa mesma força — a gravidade — age tanto em pequenas quanto em grandes distâncias: ela é capaz de atrair uma maçã para a Terra e manter os planetas girando em torno do Sol. Ele constatou também que quanto mais matéria, ou massa, mais força de atração um exerce sobre o outro.

Newton publicou, em 1687, seu *Princípios matemáticos da filosofia natural*, mais comumente denominado *Principia*. Na obra, o autor expunha os conceitos de gravitação universal e as leis do movimento, conceitos que se tornaram a consagrada visão científica da natureza do universo.

Duzentos anos depois, Albert Einstein (pág. 86), físico de origem judaica, aperfeiçoou a física newtoniana, transformando a compreensão do conceito de espaço, tempo e gravitação. Em sua teoria geral da relatividade (1916), ele explicou que a gravitação não é uma força conforme descrita por Newton, mas o efeito da curvatura do espaço, causada pela presença de massa. Matéria e energia encurvam a geometria do espaço, algo mais ou menos parecido com o que vemos quando um objeto pesado deforma um travesseiro — e esse é o efeito a que chamamos de gravidade. Uma das consequências dessa realidade é que até a luz é encurvada pela gravidade, seguindo uma trajetória curvilínea em torno de corpos com grande quantidade de massa, como, por exemplo, o Sol.

A teoria de Einstein foi confirmada em circunstâncias impressionantes durante um eclipse em 1919, quando o astrônomo britânico Arthur Eddington (1882-1944) obteve provas de que a luz de uma estrela distante, posicionada atrás do Sol quando observada da Terra, contornara uma estrela (escurecida) para alcançar o planeta.

O Big Bang e a Origem do Universo: Georges Lemaître e Edwin Hubble

O padre jesuíta e astrônomo belga Georges Lemaître (1894-1966) foi, em 1927, o primeiro a enunciar a ideia de um universo em expansão e propôs o que ficaria conhecido como Big Bang, teoria da origem do universo.

Lemaître argumentou que a expansão do universo começou a partir de um ponto no espaço, numa época remotíssima (a estimativa moderna é de 13,8 bilhões de anos): a explosão colossal de um "Átomo Primordial" extremamente denso e compacto, ou "Ovo Cósmico". Até 1931, era pequeno o número de pessoas que leram sobre sua descoberta fora da Bélgica, mas, naquele ano, a proposição foi considerada "brilhante" pelo astrônomo britânico Arthur Eddington, que ajudou a traduzi-la.

Mas foi um contemporâneo de Lemaître — astrônomo norte-americano mais famoso do que ele — chamado Edwin Hubble (1889-1953), que ajudou a provar a validade da teoria da expansão do universo e do sistema cosmogônico do Big Bang, fato que deu a ele o título de fundador da cosmologia.

Hubble iniciou a carreira profissional numa época de alta produção científica. Henrietta Leavitt (1868-1921) notara que a Grande e a Pequena Nuvens de Magalhães (aglomerados estelares visíveis numa das bordas da Via Láctea, conhecidas agora como galáxias anãs) continham milhares de estrelas de brilho variável. Suas observações levaram ao desenvolvimento de um método de medição das distâncias entre estrelas que revolucionou nossa visão do universo. Astrônomos começaram a perceber que ele era muito maior do que se imaginava. Albert Einstein, com sua teoria geral da relatividade, previu a ideia de um universo em processo de transformação — expansão ou contração. Muitos, incluindo o próprio Einstein, acharam difícil aceitar essa nova visão.

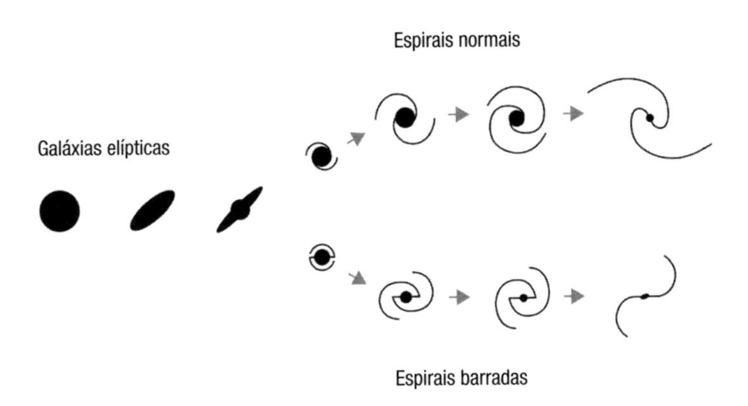

A classificação das galáxias de Hubble, de 1936. A Via Láctea é vista como uma faixa brilhante algo difusa no céu noturno e foi classificada como galáxia espiral barrada. Ela tem o formato de um disco achatado com cerca de 100 mil anos-luz de diâmetro e contém gás, poeira e aproximadamente 100 bilhões de estrelas. O sistema estelar não se localiza no centro da galáxia, mas no meio de um de seus braços menores.

Hubble percebeu a existência de pontos de luz difusa no espaço, conhecidos como nebulosas espirais, observáveis em grande parte do céu noturno. Seriam esses corpos nuvens de gás cósmico situadas dentro da nossa galáxia ou grupos de estrelas localizados muito além dela? No Observatório Mount Wilson, Califórnia — que abrigava o telescópio Hooker com um espelho de 254 centímetros de diâmetro, o maior telescópio do mundo na época —, Hubble concentrou suas observações numa parte do céu denominada, posteriormente, nebulosa de Andrômeda e, pela primeira vez na história da astronomia, as imagens revelaram a existência de estrelas pouco brilhantes. Em 1923, ele chegou à conclusão de que estavam distantes demais para que fizessem parte da Via Láctea e, portanto, pertenciam a outra galáxia (conhecida agora como galáxia de Andrômeda), pelo menos 10 vezes mais distante de nós do que as estrelas mais longínquas. Observações complementares levaram à descoberta de inúmeras outras galáxias. Ficou claro que fazíamos parte de um universo muito maior do que se imaginava. Hubble comparou as galáxias e criou um método de classificação usado até hoje.

Outra importante descoberta ocorreu em 1929, quando Hubble publicou seus dados sobre a expansão uniforme do universo. Com seus estudos de 46 galáxias, ele descobriu que, quanto mais distantes estiverem entre si, mais velozmente se afastam umas das outras — as distâncias entre as galáxias aumentam constantemente, o que significa que o universo está se expandindo (a teoria da expansão universal). Hubble criou então a equação da teoria da expansão universal, ainda usada nos dias atuais, embora desatualizada. Ele estimou que a taxa de expansão do universo é de 500km por segundo por megaparsec (unidade de distância astronômica equivalente a 3,26 milhões de anos-luz), ou seja, uma galáxia a 3,26 milhões de anos-luz de distância da Terra se afasta a uma velocidade de 500km por segundo. Essa estimativa é conhecida como a constante de Hubble: um dos valores mais importantes na cosmologia, pois é usado para estimar o tamanho e a idade do universo.

Todavia, atualmente, cientistas e estudiosos acham que Hubble subestimou as distâncias entre as galáxias, o que nos faz presumir que os resultados de seus cálculos da taxa de expansão sejam exagerados. Hoje em dia, segundo estimativas de astrônomos, esse valor está em torno de 70km por segundo por megaparsec, ainda que persista uma parcela de dúvida em relação ao valor da constante de Hubble.

O telescópio espacial Hubble, lançado em 1990 e batizado em homenagem ao grande astrônomo, tem por objetivo fornecer mais dados para confirmar e aperfeiçoar a constante de Hubble. Até agora, o telescópio ajudou a demonstrar que o universo não apenas está se expandindo, mas acelerando sua expansão, movido por uma estranha força denominada “energia escura”.

Em 1964, observadores descobriram a existência do que chamaram de "radiação cósmica de fundo em micro-ondas", considerada uma espécie de "eco" do Big Bang. A teoria do Big Bang continua a ser a tese mais aceita entre astrônomos e cientistas para explicar a origem do universo.

Supernovas, Estrelas de Nêutrons e Matéria Escura: Fritz Zwicky

Em 1935, o astrônomo suíço Fritz Zwicky (1898-1974) usou um telescópio Schmidt em seu observatório no topo de uma montanha. Seu telescópio, com uma capacidade de observação de amplas áreas do céu, era ideal para localizar estrelas ultrabrilhantes, as quais ele chamou de supernovas.

Zwicky formulou a hipótese de que uma supernova representa a morte espetacular de uma estrela gigantesca — uma explosão colossal, de intensidade muito maior do que a explosão normal de uma estrela ("nova"), e visível apenas num curto espaço de tempo. Quando a supernova explode, libera energia capaz de iluminar uma galáxia inteira, lançando para o espaço partículas que formarão os fundamentos de novos mundos e deixando, ao fim do fenômeno, um compacto remanescente de alta densidade, chamado estrela de nêutrons. Tal remanescente celeste é o menor e mais denso tipo de estrela do universo de que se tem notícia, composto quase totalmente de nêutrons, ou partículas subatômicas, em geral sem quase nenhuma carga elétrica.

A mais antiga observação daquilo que agora chamamos de supernova aconteceu na China, no ano 185. Ocorreram umas poucas também antes da invenção do telescópio, e centenas dessas explosões foram testemunhadas desde o advento desse notável instrumento. Zwicky observou 120 fenômenos, e a caçada a supernovas continua nos dias atuais com o uso de telescópios controlados por computador. Em cada galáxia ocorrem apenas duas ou três explosões de supernovas por século, mas, em tese, num universo de bilhões de galáxias, podem ocorrer 30 por segundo!

Betelgeuse, uma das maiores estrelas da Via Láctea, está perto do fim de seu ciclo de vida, e a estimativa é de que se transforme em uma supernova dentro de alguns milhões de anos. Observada desde tempos remotos, essa brilhante "supergigante" vermelho-alaranjada, que faz parte da constelação de Órion, consumiu toda a sua massa de hidrogênio; o núcleo compactou-se e suas camadas externas se expandiram, transformando-se numa estrela gigantesca, visível a olho nu.

Raios cósmicos, ou radiação de alta intensidade energética, são um dos efeitos produzidos pelas supernovas que podem afetar o funcionamento de aparelhos eletrônicos de satélites. São também possíveis causas do mau funcionamento de sistemas de controle de voo de aeronaves acidentadas, e, no futuro, representarão uma barreira considerável para as viagens tripuladas interplanetárias, a menos que se consiga desenvolver um escudo protetor para as espaçonaves.

Em 1933, Zwicky descobriu um dos maiores mistérios da astrofísica moderna: a matéria escura. Como seu nome indica, não é possível observar massas de matéria escura com telescópios, mas sua existência no cosmo pode ser inferida com base em seu efeito gravitacional sobre as estrelas ou outros tipos de matéria visível. A descoberta aconteceu quando Zwicky percebeu que a massa das estrelas do aglomerado de galáxias de Coma nunca seria suficiente para manter essas galáxias agrupadas por meio da força gravitacional. Ele concluiu que deveria existir uma espécie de matéria escura para compensar a "massa faltante" no universo. Na década de 1970, Vera Rubin comprovou a validade da teoria de Zwicky quando notou uma discrepância: as estrelas das bordas das galáxias se moviam mais rapidamente do que o previsto — usando, para estimar seu movimento, a lei da gravidade.

Agora, os cientistas acham que a massa total de matéria-energia do universo é composta por 26% de matéria escura, com a energia escura (a força desconhecida que faz a velocidade de expansão do universo aumentar) constituindo cerca de 68% e com a matéria comum, visível, correspondendo apenas a 5% desse total.

As Anãs Brancas e os Buracos Negros: Chandra

Nascido em Lahore, quando a localidade ainda era parte da Índia britânica (hoje fica no Paquistão), Chandra, ou Subrahmanyan Chandrasekhar (1910-95), talvez tenha sido inspirado por seu tio cientista, Sir C. V. Raman, ganhador do Prêmio Nobel de física em 1930. Na Inglaterra para realizar um trabalho de pós-graduação, Chandra mudou-se para os Estados Unidos quando suas ideias revolucionárias despertaram hostilidade e ceticismo entre os colegas.

Em sua mais famosa teoria, Chandra afirma que, quando a fonte de energia nuclear no coração de uma estrela (tal como o nosso Sol) se esgota e a estrela se aproxima de seu último estágio de evolução, nem sempre ela se transforma numa anã branca, pequena massa de matéria cósmica estável e de resfriamento vagaroso. Ao contrário, se o total de sua massa estiver acima de determinado limite — o chamado "limite de Chandrasekhar", que é maior do que a massa que dá origem a uma nova estrela de nêutrons —, ela explodirá, gerando uma supernova que depois se contrai, formando no espaço um corpo celeste infinitamente pequeno e de extremíssima densidade, conhecido agora como buraco negro. O campo gravitacional de um buraco negro fica tão poderoso que qualquer coisa, incluindo partículas de luz que porventura se aproximem muito dele, acaba sendo por ele tragada.

Para chegar a essa conclusão, Chandra aplicou rigorosos processos de investigação e análise matemática, incluindo as novas ideias da mecânica quântica, bem como a teoria da relatividade, na avaliação das propriedades das estrelas anãs brancas.

Ele inferiu que, no que se refere a grandes corpos celestes, o princípio de exclusão de Pauli (formulado por Wolfgang Pauli em 1925, então conhecido como pressão por degeneração eletrônica) era aplicável também. De acordo com esse princípio, dois elétrons não podem ocupar o mesmo espaço quântico. Segundo Chandra, uma das consequências disso é que a compressão da massa de uma estrela gigantesca em colapso força os elétrons a se moverem para níveis mais altos de energia numa velocidade próxima à da luz. Isso provoca uma explosão, que destrói o invólucro de gases de elétrons livres da estrela em extinção, deixando um remanescente de pequeno fragmento de massa ainda em processo de compressão.

O trabalho de Chandra sobre a estrutura, as origens e a dinâmica da evolução das estrelas e sua previsão da existência de buracos negros foram confirmados mais tarde.

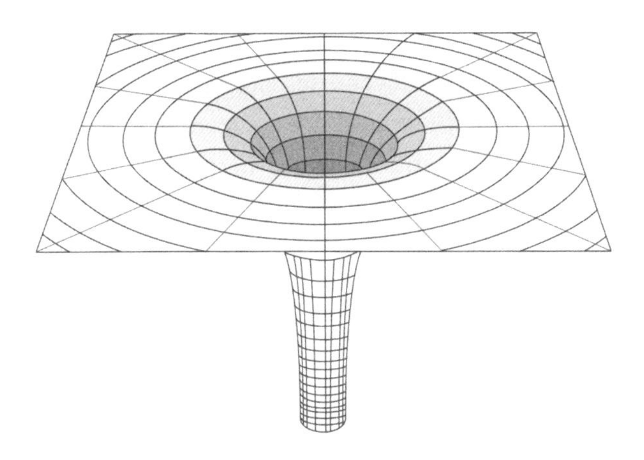

Buraco negro é um ponto de concentração de matéria no espaço, de densidade infinita, com um campo gravitacional tão potente que qualquer coisa que se aproximar acaba sendo "engolida" por ele.

Pulsares, Quasares e Homenzinhos Verdes: Susan Jocelyn Bell

A existência dos quasares (um acrônimo de fonte de rádio quase-estelar) foi constatada por ocasião das primeiras pesquisas com ondas de rádio, na década de 1950. Eles existem nas extremidades do universo visível, distância que corresponde a 10-15 bilhões de anos-luz de nosso planeta. Quando ondas de rádio, luz e radiação emitidas por quasares alcançam a Terra, estamos constatando, literalmente, a ocorrência de um fenômeno que se deu uns 10-15 bilhões de anos atrás.

Acredita-se que o quasar seja um buraco negro supermaciço cercado por uma estrutura de gás em forma de espiral (chamado "disco de acreção"). Sua força gravitacional é imensa, capaz de atrair estrelas e até pequenas galáxias inteiras para seu buraco negro, provocando uma gigantesca emissão de energia e luz de intensidade suprema e inconfundível, graças à qual a presença dos quasares é detectada no universo.

A astrônoma britânica Susan Jocelyn Bell (1943-) vinha observando os quasares recém-descobertos usando uma antena simples, construída rudimentarmente com fios estendidos em estacas fixadas num terreno baldio perto da Universidade de Cambridge, quando ficou intrigada com a constatação de fracos porém regulares pulsos de radiofrequência vindos do espaço. A equipe de pesquisadores se perguntou se "homenzinhos verdes" não estariam tentando se comunicar do espaço sideral, mas acabaram verificando que os pulsos vinham de estrelas de nêutrons — os minúsculos corpos estelares, de giro rapidíssimo e ultradensidade, formados por nêutrons (partículas subatômicas sem carga elétrica), cuja existência Fritz Zwicky previra em 1935, propondo que seriam remanescentes de uma estrela, provenientes da explosão de uma supernova (pág. 40). Elas receberam o nome de pulsares.

Bell não pôde receber o Prêmio Nobel por sua descoberta, porque na época ainda era uma estudante, fato esse que causou indignação no meio científico.

Acredita-se que mais de 30.000 estrelas de nêutrons habitem nossa galáxia. Radiotelescópios gigantes tentam captar seus pulsos.

Singularidades: Stephen Hawking

Um dos mais famosos cientistas vivos, Stephen Hawking, deu uma grande contribuição à ampliação do conhecimento da criação, evolução e estrutura atual do universo.

Com seus estudos e pesquisas sobre a teoria geral da relatividade na década de 1960, Hawking e Roger Penrose (1931-) desenvolveram novos processos matemáticos para demonstrar que, no passado, o universo se achava num estado de densidade infinita chamado singularidade do Big Bang, situação em que todas as galáxias se encontravam "amontoadas" ou ultracompactadas entre si, quando a densidade do universo era infinita.

Antes de Hawking, os cientistas acreditavam que nada podia escapar de um buraco negro. Hawking, porém, descobriu que, sob condições especiais, um buraco negro pode emitir certas partículas subatômicas, fenômeno conhecido como "Radiação de Hawking". Ele demonstrou também que buracos negros têm temperaturas e não são totalmente negros. Explicou que eles obedecem às leis da termodinâmica e acabam evaporando.

STEPHEN HAWKING (1942-)

Inspirado em parte pelo pai, especialista em doenças tropicais, interessou-se por questões científicas fundamentais no início da adolescência. Depois que se formou em física pela Universidade de Oxford, partiu para o doutorado em cosmologia em Cambridge, mas, logo depois de sua chegada à nova universidade, médicos o diagnosticaram com esclerose lateral amiotrófica, doença neurodegenerativa que provoca fraqueza e deterioração muscular. Eles previram que Hawking teria apenas mais alguns anos de vida. Entretanto, em vez de levá-lo a render-se a um destino aparentemente inexorável, a notícia da doença inoculou em suas veias a dose de motivação que o faria aproveitar ao máximo sua capacidade para concretizar suas ambições de desvendar segredos do universo.

A deterioração física causada pela doença acabou confinando Hawking a uma cadeira de rodas. Com o decorrer dos anos, como a fala se tornou confusa, estudantes universitários passaram a ter que ler as aulas e palestras preparadas por ele. Em 1985, depois de uma cirurgia que eliminou por completo sua capacidade de se expressar pela fala, forneceram-lhe um computador e um sintetizador que lhe permitiram dar palestras com uma voz artificial.

Matemática: A Ciência dos Números

Desde simples somas a complexos sistemas de criptografia, o universo está cheio de quebra-cabeças matemáticos — como os números se relacionam, como figuras e corpos geométricos são descritos, qual a melhor maneira de estabelecer padrões. Ao contrário da maioria das ciências, é possível provar que uma teoria matemática é verdadeira ou não, mas, uma vez comprovada sua validade, ela jamais poderá ser desmentida ou refutada. Portanto, a história da matemática consiste mais no desenvolvimento de ideias inteiramente novas do que na substituição de velhos modelos.

Afinal, ainda existem muitos quebra-cabeças matemáticos sem solução ou, em alguns casos, questões que não foram até agora devidamente identificadas.

Os Elementos de Geometria: Euclides

Considerado o "Pai da Geometria", o greco-egípcio Euclides de Alexandria (*c.* 325-265) escreveu o livro mais reproduzido no mundo até hoje: *Os elementos*. A obra foi considerada não só na Europa, mas em toda a Idade Média o mais importante compêndio de matemática durante quase dois mil anos; apesar do nome, tratava de todas as questões conhecidas relacionadas à matemática, apresentadas de forma clara, concisa e fácil de entender. No que se refere a algumas provas teóricas e teoremas matemáticos, ninguém foi capaz de apresentar explicações melhores do que Euclides.

Os elementos, publicado em 13 volumes, contém definições, teoremas, demonstrações comprobatórias e postulados ou axiomas (proposições fundamentais cuja veracidade é considerada assumida, embora não haja provas que as corroborem). A obra engloba não só aspectos teóricos dos assuntos tratados, mas também aplicações práticas, o que a torna uma referência muito valiosa para aqueles que desejam estudar e aplicar seus conhecimentos de matemática.

Embora pouco saibamos a respeito desse grande homem, exceto que lecionava em Alexandria, importante centro de ensino na época, ele deu seu nome ao que ficou conhecido como geometria euclidiana — o estudo de pontos, linhas, planos e outras figuras geométricas, cujas propriedades o matemático reuniu metodicamente sob um conjunto de premissas ou definições fundamentais. Entre muitas outras coisas, *Os elementos* apresenta princípios famosos, como a proporção áurea (relacionada com os fundamentos geométricos usados na busca da beleza), o que norteia a construção dos cinco poliedros regulares conhecidos como sólidos platônicos, e o teorema de Pitágoras (que trata da determinação de valores de medidas desconhecidas de triângulos retângulos). A propósito, não foi exatamente o grego Pitágoras (séc. VI a.C.) que formulou o teorema que leva seu nome, mas é possível que ele tenha sido o primeiro a prová-lo.

Quando o faraó perguntou qual era o caminho mais curto para entender matemática, Euclides respondeu: "Não há estrada real para a geometria."

A Matemática das Máquinas: Arquimedes

Arquimedes de Siracusa era conhecido por seus antigos contemporâneos gregos, nem tanto pela originalidade de seu pensamento matemático, mas por suas invenções mecânicas. Algumas delas, como a bomba d'água helicoidal, conhecida como o "parafuso de Arquimedes", e o sistema de polias duplas, tiveram valiosas aplicações, enquanto outras, provavelmente as mais notórias máquinas de guerra, se tornaram a catapulta gigante e a "garra de Arquimedes", conhecida também como "sacudidora de navios". Na verdade, um guindaste com um gancho enorme ou garra; essa parte da arma podia ser usada para destroçar navios, afundá-los ou até tirá-los da água.

Alavancas eram partes importantes de suas máquinas, e, embora não as tivesse inventado, baseou-se no princípio de equilíbrio para apresentar a primeira explicação de seu funcionamento. Em seu mais famoso teorema — o princípio de Arquimedes —, ele explica como se calcula o volume de um corpo imerso num líquido fazendo-se a medição da quantidade de água por ele derramada do recipiente que a contém. O grego chegou a essa conclusão enquanto buscava a resposta para a difícil pergunta feita pelo rei de Siracusa, que queria saber se a sua nova coroa de ouro tinha sido fabricada com o acréscimo de algum metal mais barato.

Arquimedes usava o "método da exaustão" para calcular a área de um círculo. O método consiste em desenhar polígonos planos regulares (figuras com, pelo menos, três ângulos e lados limitados por linhas retas) dentro e fora do círculo e depois adicionar mais lados aos polígonos até que se aproximem da forma da circunferência do círculo. (As propriedades de um polígono são muito mais fáceis de calcular do que as de um círculo.) Ele descobriu também correlações entre esferas e cilindros, e lançou-se na exploração do conhecimento de outras áreas da matemática, como raiz quadrada e propriedades das figuras geométricas (triângulos, retângulos, círculos, e assim por diante).

ARQUIMEDES (*c.* 287–212)

Filho de um astrônomo, Arquimedes nasceu na cidade-estado grega independente de Siracusa, na ilha da Sicília. Famoso não apenas pelas máquinas que inventou, mas também por ter saído da banheira de uma casa de banhos e corrido nu pela rua gritando "Eureka!"

("Descobri!"), quando constatou a existência da lei que ficou conhecida como o princípio de Arquimedes.

No entanto, o grego sempre achou que suas teorias matemáticas eram mais importantes do que seus conhecimentos de mecânica. Em seu livro *O método* (*c.* 250), escreveu: "Certas coisas se tornavam claras para mim quando primeiro utilizava um método mecânico, embora tivessem que ser comprovadas por meio da geometria..."

No ano 218, Siracusa se envolveu na Segunda Guerra Púnica (218-201) como aliada de Cartago contra Roma. (Foi nessa mesma guerra que Aníbal usou elefantes para atravessar os Alpes e atacar Roma.) As máquinas de guerra de Arquimedes ajudaram a repelir as forças invasoras romanas durante vários anos, mas Siracusa acabou tomada em 212, quando Arquimedes foi morto. Chegaram a prometer ao grandioso homem da matemática um salvo-conduto, mas, segundo uma lenda, ele estava tão absorto na busca da solução para um problema que ignorou os legionários enviados com a missão de capturá-lo e levá-lo ao general romano. Irritados com a indiferença, passaram o genial matemático a fio de espada. Já de acordo com outra história, ele carregava um aparelho científico quando soldados romanos o mataram, achando que o artefato era um butim valioso.

O Valor de Pi em Sete Lugares Diferentes: Zhang Heng e Tsu Ch'ung Chih

Talvez o número mais famoso do mundo seja o valor de pi, o nome do símbolo grego desse número, π.

Algo próximo de 22 dividido por 7 e geralmente tomado com o valor arredondado de 3,14, o pi representa as propriedades de um círculo; sendo *r* seu raio, sua circunferência é sempre dada pela expressão $2\pi r$ e sua área sempre πr^2. Portanto, o valor de pi é muito útil na geometria aplicada — aliás, na pirâmide de Queops, a mais importante de Gizé, a razão entre o perímetro de sua base e sua altura é, *magicamente*, a metade de pi (com precisão de duas casas decimais!). O número pi é também um elemento de crucial importância na tentativa de solucionar um antigo problema matemático: usando-se apenas instrumentos de medição básicos, como uma régua e um compasso, é possível desenhar um quadrado que tenha uma área igual à de um círculo?

Não houve *o* descobridor do número pi. Ele foi calculado de forma independente por todas as antigas civilizações que professavam as ciências matemáticas: Babilônia, Egito, Grécia, Índia, China, os maias (América Central), entre outras. Lançando mão de diferentes métodos de cálculo geométrico, antiquíssimos matemáticos chegaram a um valor entre 3,12 e 3,16. Um inventor chinês, Zhang Heng (78-139) propôs que seu valor fosse a raiz quadrada de 10: 3,162.

Porém, mais tarde, um compatriota de Heng, o astrólogo, engenheiro e matemático Tsu Ch'ung Chih (429-500), foi a primeira pessoa no mundo a calcular corretamente o número pi até a sétima casa decimal, com um valor entre 3,1415926 e 3,1415927. Seriam necessários mil anos para que alcançassem uma precisão como essa na Europa.

O principal interesse de Chih era a reforma do calendário chinês, e ele foi o primeiro a levar em conta a precessão dos equinócios (pág. 16). Seu calendário era de uma precisão incrível: o ano correspondia a um valor de 365,24281481 dias, com um erro de apenas 52 segundos em relação ao resultado do cálculo atual.

Chih não viveu o suficiente para ver seu calendário ser adotado na China, mas, ao longo de sua vida, ficou famoso por suas invenções, como a charrete com uma estátua de mão estendida apontando sempre para o sul, independentemente de para onde fosse virada, e o barco com rodas de pás. Outro de seus legados foi um livro de matemática que teve que ser retirado do currículo acadêmico, pois era difícil demais para a maioria dos estudantes!

Em todo caso, o número pi continuou a ser uma profícua fonte de pesquisa na área da matemática. Em 1882, Ferdinand von Lindemann (1852-1939) demonstrou que ele era um número transcendente: infinito e sem um padrão de representação decimal previsível. E, em 2011, um programa de computador levou 191 dias para calcular o valor de pi com 10 trilhões de casas decimais. Sem dúvida, um dia um computador nos fornecerá um número pi com uma quantidade de casas decimais correspondente ao número de dígitos do valor de mercado do Google, mas não nos fará chegar nem perto da conclusão do desenho de nosso quadrado, com mesma área de um círculo dado.

Tabelas de Senos: Aryabhata

A Índia Antiga tinha uma cultura matemática sofisticada, que foi ressuscitada pelo jovem gênio Aryabhata (476-550). Seu importante livro, *Aryabhatia*, foi escrito quando ele tinha apenas 23 anos.

Na obra, em 119 versos poéticos, Aryabhata se tornou o primeiro a propor um método de achar raízes quadradas e apresentar um resumo dos fundamentos da trigonometria, mais tarde denominado tabelas de senos. Um dos métodos de que valeu-se para criá-las envolveu o emprego do teorema de Pitágoras. Ele demonstrou também como projetar num plano pontos e linhas da superfície de uma esfera, aplicando assim conceitos de trigonometria plana às propriedades geométricas de uma figura esférica.

Aryabhata propôs inovações para a álgebra e a astronomia, mas dois de seus mais importantes conceitos foram o uso da escrita com casas decimais para indicar a décima, a centésima, a milésima parte etc. de algo e sua compreensão do conceito matemático do zero. Embora todas as antigas civilizações certamente entendessem que a inexistência de colheitas resultava em fome, o zero como conceito matemático permite que se chegue ao cálculo de números negativos e é um importante estágio no conhecimento da aritmética elementar e na compreensão das ciências matemáticas como instrumento nas atividades e profissões intelectuais. Graças ao seu trabalho, esses conceitos puderam ser transmitidos ao Oriente Médio, onde foram aproveitados e desenvolvidos pelos estudiosos, e depois levados para a Europa.

O Ponto Decimal Chega à Europa: Fibonacci

Parece impensável o fato de que, até o ano de 1202, o conceito de zero ainda não existisse na Europa Ocidental. Foi quando o jovem contabilista italiano Fibonacci (1170-1250) publicou seu *Liber abaci*, livro revolucionário que introduziu na Europa várias ideias e conceitos indo-arábicos de importância crucial. Entre eles estavam os numerais arábicos, o conceito matemático do zero e o sistema de numeração com casas decimais.

Na verdade, Fibonacci se chamava Leonardo de Pisa, mas ficou mais conhecido pelo nome que significa "Filho de Bonacci". Foi o Sr. Bonacci, agente mercantil, que sugeriu que o filho estudasse conceitos árabes de matemática como parte de seu curso de técnicas comerciais no norte da África. Quando voltou para a Itália, Fibonacci convenceu os europeus de que o sistema de numeração arábico era muito mais simples do que o romano e permitia cálculos mais precisos. O uso do zero matemático levou ao conceito de números negativos, ou seja, menores que zero. Desse modo, assentou as bases para o futuro desenvolvimento da teoria dos números na Europa.

Matemático sofisticado que descobria aplicações práticas para teoremas abstratos, Fibonacci escreveu livros que foram extremamente úteis para mercadores, já que diversos exemplos apresentados tinham relação com negócios, como os de calcular receitas e despesas ou de obter conversões entre as principais moedas correntes no Mediterrâneo. Ele também propôs soluções para problemas de agrimensura.

Fibonacci ficou famoso pela solução que deu à questão de quantos coelhos podiam ser produzidos sob certas circunstâncias. O resultado a que chegou, somando os dois termos representativos das gerações de coelhos imediatamente precedentes, é conhecido como sequência de Fibonacci, conceito que pode ser aplicado em muitas áreas da ciência, da matemática e dos estudos da natureza. Embora em seu *Liber abaci* ele houvesse omitido o primeiro termo, a sequência inicia com 1, 1, 2, 3, 5, 8, 13, 21, 34, 55, e assim por diante, em que cada número (a partir do terceiro) é a soma dos dois imediatamente anteriores. Se criarmos quadrados indicativos desses números e os organizarmos de forma geométrica, poderemos traçar uma espiral perfeita fazendo sua linha passar pelos pontos opostos de cada um desses quadrados. Os matemáticos adoram esses tipos de padrões numéricos, mas a Sequência de Fibonacci tem um uso prático, ao prestar ajuda à solução de alguns problemas matemáticos. Ela desperta interesse em outros cientistas porque pode ser usada em alguns programas de computador, serve para descrever parte de um modelo de crescimento econômico e aparece em vários organismos vivos e partes da natureza. Por exemplo: na forma pela qual algumas folhas brotam das hastes de plantas e árvores, no arranjo da coroa do abacaxi e na casca de pinha, na disposição das pétalas do girassol e na distribuição de sementes dos frutos da framboeseira.

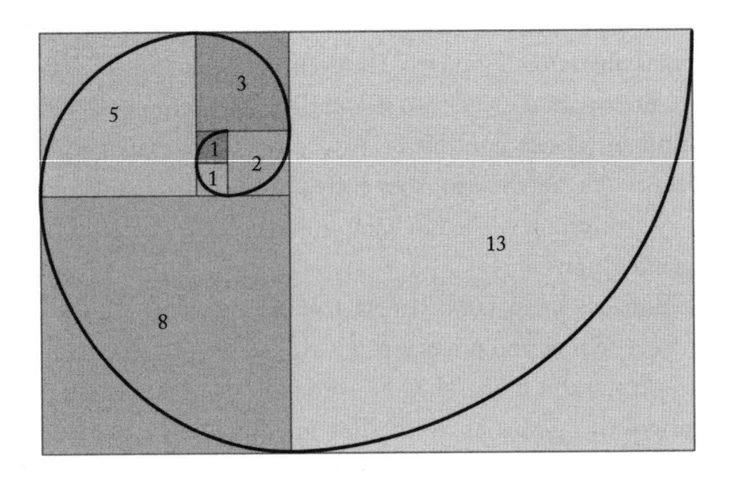

Representação gráfica da Sequência de Fibonacci.

Coordenadas Cartesianas: René Descartes

Com sua invenção das coordenadas cartesianas, o filósofo e matemático francês René Descartes tem levado muitas gerações de crianças do ensino fundamental a dar bons tratos à bola na tentativa de entender a função dos eixos *x* e *y* de gráficos cartesianos.

Descartes observava ao acaso uma mosca voando e pousando nas paredes e no teto de seu quarto quando percebeu que a trajetória do voo podia ser representada geometricamente — com base na linha descrita pelo voo e nas figuras criadas com esse movimento — e algebricamente por uma série de pontos referenciais. Foi então que concebeu um plano cartesiano (denominado, segundo a forma latinizada, Cartesius), traçando linhas perpendiculares (ou eixos), uma vertical e outra horizontal, numa superfície plana para descrever a posição dos pontos.

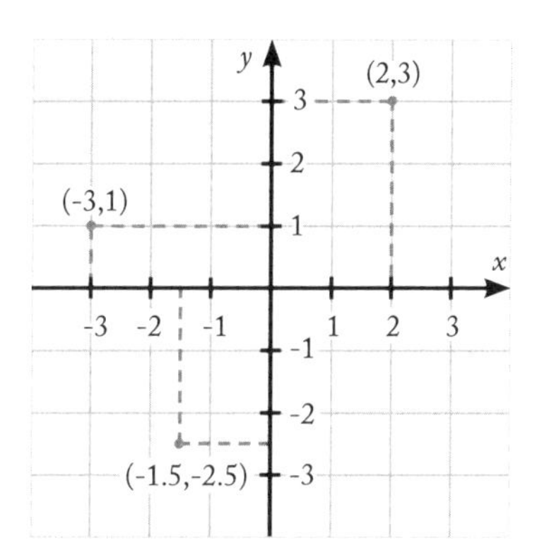

Esquema reticulado de quatro quadrantes de coordenadas cartesianas. As duas linhas numeradas estão entrecruzadas em ângulo reto e se encontram num ponto chamado origem (ponto de interseção). As linhas acima e à direita da origem são graduadas com números positivos, enquanto as linhas abaixo e à esquerda, com números negativos. Cada ponto do esquema tem como referência duas coordenadas, as distâncias a partir da origem ao longo de cada eixo, com a medida horizontal indicada primeiro. As coordenadas são assinaladas entre parênteses, com a origem sendo (0,0).

Ele desenvolveu esse conceito mais ou menos junto com o colega francês Pierre de Fermat (pág. 57), fato que provocou um acirrado debate em torno da autoria pioneira. Como resultado, as duas mentes mais brilhantes da época nunca colaboraram uma com a outra.

Além do uso na criação de gráficos, a invenção de Descartes é útil também na elaboração cotidiana de referências cartográficas, mas, no mundo da matemática, essa nova contribuição para a "geometria analítica" possibilitou uma associação revolucionária entre a álgebra e a geometria. Permitiu que termos algébricos fossem expressos na forma de coordenadas ou linhas e, no sentido inverso, que figuras geométricas fossem expressas na forma de equações algébricas. Foi o fundamento para a descoberta posterior do cálculo infinitesimal por Isaac Newton (pág. 61), gênio profundamente influenciado pelas ideias de Descartes.

Descartes defendeu também o uso de numerais sobrescritos para indicar expoentes ou potências. Por exemplo, 2^{10}.

RENÉ DESCARTES (1596-1650)

Descartes formulou sua teoria de geometria analítica enquanto sofria com o calor intenso de seu quarto. Na ocasião, teve "visões" que o guiaram na tentativa de estabelecer uma correlação racional entre lógica e filosofia.

Além de "Pai da Filosofia Moderna", ele também é muito conhecido por sua máxima "*Cogito, ergo sum.*" ("Penso, logo existo."), a cuja concepção chegou por meio de seu método de duvidar de tudo. Ele tinha o cuidado: "[De] nunca aceitar como verdade senão aquilo que vejo clara e distintamente como tal."

Descartes escreveu um de seus mais importantes trabalhos, *Discurso sobre o método*, em francês em vez de latim, o idioma dos eruditos, de forma que todos (até as mulheres, observou) pudessem ler sua obra.

Ele é um dos poucos matemáticos cujo nome foi dado a uma localidade: a cidade em que ele nasceu, La Haye en Touraine, teve seu nome alterado para Descartes, como forma de homenageá-lo.

A Teoria dos Números: Pierre de Fermat

Desde a época dos gregos antigos, o ramo da matemática conhecido como "teoria dos números" foi desprezado no Ocidente, até que o advogado francês Pierre de Fermat (1601-65) conseguiu ressuscitar o interesse pela disciplina. Às vezes chamada de aritmética superior, a teoria se ocupa das propriedades dos números e suas relações, e Fermat foi o primeiro a trabalhar exclusivamente com números inteiros. Ele se recusava a aceitar frações na busca de uma solução para quaisquer problemas que cogitava ou propunha e procurava solucionar.

Por volta da época em que Descartes também o fizera (pág. 55), Fermat desenvolveu um sistema de coordenadas. Portanto, ele é um dos fundadores da geometria analítica. Ademais, colaborou com Blaise Pascal, concebendo a teoria das probabilidades (pág. 58).

Fermat seguia François Viète (1540-1603) acreditando que a álgebra poderia ser usada para analisar problemas matemáticos. Ele fora inspirado também pelos gregos antigos, como Diofanto, que, em seu livro *Arithmetica*, levantou hipóteses e propôs teoremas, deixando para o leitor o desafio de achar provas ou soluções para eles. Da mesma forma, Fermat formulou enigmas de lógica, acerca dos quais raramente explicava como ele mesmo havia alcançado a solução.

Muito tempo depois de sua morte, as ideias de Fermat tiveram influência direta sobre a moderna teoria dos números. Contudo, em sua época e nos anos subsequentes, sua influência foi bem menor, já que raramente costumava divulgar seus trabalhos, conhecidos principalmente por intermédio de suas correspondências com outros eruditos ou como notas na margem dos livros. Ele é mais conhecido por seus últimos teoremas, de formulação compacta e simples. Em um deles, chamado Pequeno Teorema de Fermat, afirma que a expressão $n^p - n$ será sempre múltiplo de *p*, caso *p* seja um número primo e *n* inteiro. Seu mais famoso teorema, chamado "último teorema de Fermat" (publicado em 1637), teve sua prova obtida apenas em 1995, quase 360 anos após a formulação. (pág. 67).

Geometria Projetiva e Teoria das Probabilidades: Blaise Pascal

No século XVII, o gênio francês Blaise Pascal ajudou a conduzir a matemática por dois novos caminhos: o da geometria projetiva e o da teoria das probabilidades. Criou também as primeiras máquinas de calcular e deu seu nome a um intrigante padrão de combinações numéricas: o triângulo de Pascal.

O gênio tinha apenas 16 anos quando propôs seu teorema de geometria projetiva. Ele estuda as correlações entre figuras geométricas e as imagens que se estabelecem quando projetadas em outra superfície. Com esse teorema, Pascal demonstrou que, quando um hexágono é desenhado dentro de uma seção cônica, os três lados opostos do hexágono se interseccionam em pontos situados na mesma linha reta.

Em 1654, Pascal trocou correspondências com Pierre de Fermat (pág. 57) para tratar de dois problemas de apostas: o da questão da frequência com que se poderia esperar um duplo seis no jogo de dados e o da divisão mais justa das apostas se os apostadores resolvessem encerrar o jogo precocemente. O resultado na busca da solução foi a teoria das probabilidades, com a qual introduziram o esperado valor de uma variável em circunstâncias específicas.

A famosa máquina de calcular de Pascal — chamada Pascalina — foi desenvolvida para ajudar seu pai, que era coletor de impostos. A máquina era capaz de somar e subtrair, mas, embora fosse precursora dos modernos computadores, tornou-se um fracasso comercial, pois era cara e um tanto complexa de usar.

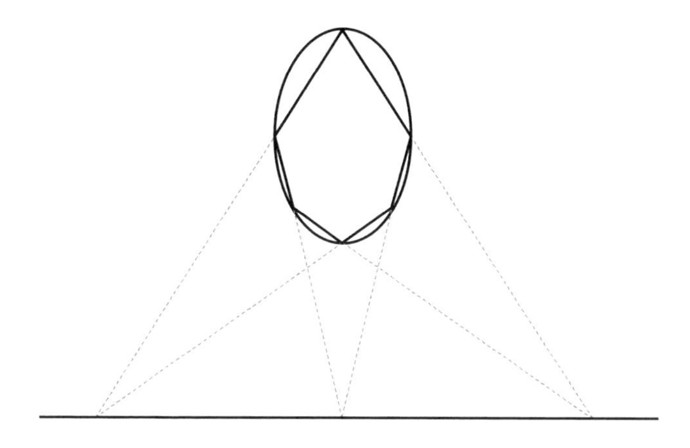

Um hexágono numa seção cônica (elipse)
mostrando o teorema de Pascal.

Além de suas importantes realizações na matemática, Pascal desenvolveu a lei da pressão (conhecida como "Princípio de Pascal"), inventou a prensa hidráulica e a seringa, e provou a existência do vácuo. Por outro lado, seu compatriota e pensador francês René Descartes (pág. 55) simplesmente não conseguia acreditar na possibilidade da existência do vácuo e respondeu, numa carta enviada a Pascal: "[Ele] tem muita vacuidade na cabeça."

BLAISE PASCAL (1623-1662)

Blaise Pascal foi educado em casa pelo pai, que achava que o garoto só deveria entrar em contato com a matemática quando tivesse, pelo menos, 15 anos. Portanto, no início, ele foi totalmente autodidata.

Em 1646, Pascal abraçou o jansenismo, movimento dentro do catolicismo considerado herético na época. Em todo caso, tornou-se cada vez mais religioso e, em 1654, quando teve uma visão, concluiu que era uma mensagem recomendando que se desligasse e abandonasse as coisas mundanas e se voltasse para uma vida contemplativa e de orações. Dali em diante, ele fez muito pouca coisa relacionada com a matemática e passou os anos anteriores à sua morte em 1662, provocada por um câncer, escrevendo reflexões sobre religião naquele que depois seria seu *Pensées*. Na obra se encontra a famosa "Aposta de Pascal", proposição em que ele apresenta um argumento probabilístico de que é racional acreditar em Deus: "Se Deus não existe, não se perderá nada acreditando nele, enquanto, se ele existe, tudo será perdido não se acreditando nele."

Números Binários: Gottfried Wilhelm von Leibniz

O sábio alemão Gottfried Wilhelm von Leibniz (1646-1716) ficou famoso por seu envolvimento na "Controvérsia da Invenção do Cálculo" com o britânico Isaac Newton (pág. 62). Por causa disso, durante anos, cientistas britânicos se negaram a reconhecer as contribuições de Leibniz para o desenvolvimento da ciência e da matemática.

Além do cálculo, Leibniz influenciou outro importante ramo do conhecimento no mundo moderno, aperfeiçoando o sistema binário, que acabou preparando o terreno para o advento da revolução digital e a criação de computadores. Em 1679, publicou *Explicação da aritmética binária*, no qual expôs o sistema tal como é usado hoje em dia.

Fundamentalmente, o sistema binário é um sistema de contagem que tem como base dois numerais, ou seja, são usados apenas dois dígitos em vez de dez, mas, antes de Leibniz, as letras eram usadas para os dois caracteres. Ele introduziu os dígitos 0 e 1, e estabeleceu que a leitura da representação dos valores no sistema é feita inversamente, ou seja, da direita para a esquerda.

Computar usando o sistema binário logo parece algo bastante incômodo para a maioria das pessoas, mas ele é a base numérica padrão em equipamentos digitais, para nós agora tão essenciais quanto nossas próprias mãos.

Advogado, membro da nobreza e diplomata, Leibniz foi também um filósofo de ideias otimistas, que acreditava que o mundo foi o melhor que Deus poderia ter criado. Ele encontrava tempo para escrever sobre os mais variados assuntos: sistema de catalogação bibliográfico e lógica simbólica, por exemplo. Leibniz foi parodiado pelo escritor francês Voltaire, que defendia Newton, satirizando o primeiro na figura do Professor Pangloss, em seu livro *Cândido, ou o otimismo*, de 1759.

Cálculo: Sir Isaac Newton

O "filósofo natural" inglês Isaac Newton é mais conhecido por sua teoria da gravitação e por suas leis do movimento universal, mas não é fácil separar seu trabalho nas áreas das ciências físicas e matemáticas. Afinal, em sua influente obra *Principia*, de 1687, ele não só tratou de muitos aspectos da matemática, como também apresentou sua visão do universo. Chegou até a formular uma equação matemática para a força gravitacional:

$$F = \frac{G\, m_1 m_2}{r^2}$$

Em 1665, Newton iniciou seu trabalho naquele que se tornaria um avanço revolucionário nas ciências matemáticas — o cálculo ou estudo de taxas de variações de grandezas. Seu maior interesse era calcular as variações de velocidade de corpos em queda e das órbitas planetárias em dado intervalo de tempo.

Em seu método, usou o que chamou de "fluxões", que equivalem a expressões algébricas de tangentes, o grau de inclinação exato de uma curva (como nas órbitas) em um ponto qualquer. Isso permitiu que ele calculasse a magnitude do "fluente" ou de suas variações ao longo da curva e revelou que uma função derivável (na terminologia atual) dá a inclinação da curva em dado ponto de uma função. Ele descobriu também que a taxa de variação é inversamente relacionada à integração ou soma da área delimitada por uma curva.

O cálculo é uma ferramenta essencial para análises matemáticas avançadas, já que permite que sejam calculadas ambas as áreas (cálculo integral), assim como as taxas de variações de grandezas num sistema (cálculo diferencial). Uma de suas aplicações práticas é que permite determinar o pagamento de parcelas mínimas de acordo com o momento exato de emissão da fatura.

Newton travou uma longa disputa com o matemático alemão Gottfried Wilhelm von Leibniz (pág. 60) envolvendo primazia e plágio no cálculo. Todavia, os dois provavelmente inventaram o cálculo de forma independente, usando métodos diferentes, embora ao mesmo tempo. Pois, enquanto Newton se concentrou em chegar a determinada função, Leibniz achou a integral de uma função para calcular áreas e volumes. São notações de Leibniz os símbolos usados agora em operações de cálculo: como o símbolo ∫, utilizado no cálculo de áreas ou no processo para se achar o valor de uma integral ou integração, e *dy/dx*, usados em operações de diferenciação ou de taxas de variação.

Cálculo não foi a única contribuição de Newton à matemática. Ele conseguiu progressos em tantos problemas matemáticos (o binômio de Newton, ou o método de Newton, para se estimar a raiz de uma função, de sua descoberta de séries de potências e sua classificação de curvas cúbicas) que praticamente elaborou um mapa para indicar os caminhos que futuros matemáticos iriam trilhar.

Mas, em 1676, ele escreveu: "Se consegui enxergar mais longe é porque o fiz sobre os ombros de gigantes."

SIR ISAAC NEWTON (1642-1727)

Uma das maiores personalidades científicas de todos os tempos, Isaac Newton (págs. 36 e 61), nascido em Lincolnshire, Inglaterra, formulou muitas de suas ideias em 1665-6, quando precisou ficar na casa dos pais, porquanto sua universidade, Cambridge, tinha sido fechada por causa da peste. Foi então que, segundo a lenda, uma maçã se desprendeu da árvore e caiu em sua cabeça, o que o levou a conceber o conceito de gravidade.

Esses dois anos em que ficou na casa dos pais testemunharam os avanços científicos extraordinários alcançados por Newton, embora ele só fosse publicar suas ideias muitos anos depois. Afinal, o grande cientista era muito sensível a críticas: quando, em 1671, suas primeiras teorias sobre a luz e as cores não foram muito bem-recebidas, ele se isolou num gabinete de trabalho para se dedicar ao estudo da alquimia. Aparentemente, a experiência de ter sido rejeitado foi tão traumática que precisou ser adulado para que se convencesse a publicar sua grande obra, *Principia*.

Newton escreveu também muita coisa sobre alquimia, história antiga e estudos bíblicos. Tornou-se membro do Parlamento, reformou a Casa da Moeda e foi eleito presidente da Royal Society, de 1703 em diante. Em 1705, recebeu o título de cavaleiro.

Teorema Fundamental da Álgebra: Carl Friedrich Gauss

Curvaturas gaussianas (de superfícies), distribuição de probabilidade gaussiana, o gauss como unidade de força do campo magnético — as contribuições do cientista alemão Carl Friedrich Gauss à matemática e à ciência (pág. 64) foram tão numerosas que acabaram lhe dando o título de "Príncipe da Matemática". Antes mesmo de completar 20 anos, Gauss realizou um dos maiores avanços em geometria desde os gregos antigos quando provou que era possível construir um polígono regular de 17 lados usando apenas régua e compasso.

Em 1799, proporcionou outro avanço ao desenvolvimento da matemática: a demonstração da correção ou validade do "teorema fundamental de álgebra". Apesar do nome, na verdade, o teorema não é fundamental para a álgebra moderna e foi um dos muitos outros enigmas matemáticos propostos pelos primeiros matemáticos da história. Gauss criava curvas algébricas com expressões de uma equação e as analisava usando topologia, uma forma de geometria voltada para o estudo de propriedades que não variam, mesmo que isso ocorra com ângulos e curvas. Ele elaborou sua demonstração por meio da extrapolação das relações entre suas curvas com um círculo.

Em 1801, publicou *Disquisitiones Arithmeticae* ("Estudos de aritmética"), que foi o primeiro compêndio sobre a teoria dos números algébricos ou "aritmética superior". Na obra, apresentou um resumo dos esparsos escritos sobre o assunto, bem como suas próprias ideias acerca de problemas notáveis, e assentou a análise crítica definitiva de conceitos e áreas de pesquisa. Além de ter proporcionado muitos outros avanços às ciências matemáticas, introduziu também o símbolo ≅, usado em congruências.

Certa vez, disse que a teoria dos números tem um "encanto mágico" que é "muito superior ao de outros ramos da matemática".

CARL FRIEDRICH GAUSS (1777-1855)

Nascido em Brunswick, que hoje faz parte da Alemanha, Gauss foi um garoto prodígio nascido numa família da classe operária — sua mãe era analfabeta, por isso não registrou o dia do nascimento do filho. Quando tinha 14 anos, a mãe e os professores o apresentaram ao Duque de Brunswick, que lhe forneceu uma ajuda mensal em dinheiro para que continuasse na escola e depois frequentasse a universidade em Göttingen.

Já em 1801, havia estabelecido os fundamentos de seu método de busca de conhecimento científico e do saber das ciências matemáticas: intensas pesquisas empíricas, seguidas de reflexões que, por sua vez, levaram-no à formulação de uma teoria. De tanto estudar, passou a dominar uma gama incrível de áreas do conhecimento, da astronomia à agrimensura e magnetismo, sem falar nos vários ramos da matemática. Tinha o costume de investigar determinada área da ciência, fazendo em seguida uma descoberta ou invenção, e depois passando a dedicar-se a outra área de estudos. Em suma, foi um grande polímata.

Mas, como não gostava de mudanças em sua vida particular, não embarcou nas turnês de palestras que lhe teriam dado reconhecimento público. Produziu mais de 178 obras, além de ter deixado inédita uma série de ensaios, anotações e memórias.

O Problema dos Três Corpos e a Teoria do Caos: Henri Poincaré

Isaac Newton (pág. 62) foi apenas uma das grandes mentes que tentaram formular uma equação matemática para demonstrar o funcionamento do sistema solar, mas, como as demais, fracassou. Especificamente: equações explicando o movimento que descreveriam as trajetórias de dois corpos no sistema solar — e por que nunca colidem —, equações que ninguém, até então, conseguira formular. Contudo, em 1887, o Rei Oscar II, da Suécia, oferece um prêmio àquele que conseguisse apresentar uma solução para o problema dos três corpos, agora conhecido como o problema dos *n*-corpos (em que *n* é um número maior que dois).

O engenheiro de minas e matemático (Jules) Henri Poincaré (1854-1912) já vinha fazendo pesquisas com complexas equações diferenciais que demonstrassem a estabilidade do sistema solar. Ele reduziu o problema a uma forma mais simples, levando em conta, em seus estudos, dois grandes corpos, bem como um terceiro, este tão menor que não tinha nenhum efeito gravitacional sobre aqueles. Com isso, ele conseguiu demonstrar que um corpo celeste menor tem uma órbita estável, mas não foi capaz de provar que essa órbita não poderia afastar-se muito da órbita dos demais.

Sua contribuição para a compreensão do fenômeno foi tão significativa que ele ganhou o prêmio, mas depois descobriu um erro, o que significava que a órbita podia ser totalmente caótica: a menor mudança poderia resultar em movimentos maiores e imprevisíveis. Ele formulara, por acaso, a teoria do caos.

Como não havia poderosos meios de computação eletrônica na época, deu-se uma interrupção no estudo da teoria do caos até a década de 1960, quando computadores possibilitaram calcular as muitas possibilidades que resultam da realização de mudanças ínfimas num sistema. Então, o meteorologista americano Edward Lorenz (1917-2008) aplicou seus modelos de equações no estudo de mudanças climáticas, cunhando a expressão "efeito borboleta".

O problema dos *n*-corpos ainda não foi totalmente solucionado.

Inteligência Artificial: Alan Turing

Fascinado por lógica matemática, o criptoanalista inglês Alan Turing criou um teste para saber se computadores eletrônicos seriam capazes de simular a inteligência humana. Turing chamou isso de "jogo de imitação".

Em 1950, ele divulgou o "Teste de Turing", num ensaio intitulado "Computer Machinery and Intelligence". O teste demandava três participantes — um ser humano, uma máquina e um indagador —, nenhum dos quais se conhecia e todos deveriam ficar em salas diferentes, embora mantidos em contato por meio de um teleprinter. Idealizando sua máquina com base no funcionamento do cérebro, ele elaborou uma série de testes destinados a verificar se os testandos conseguiriam distinguir as respostas dadas pelo computador das fornecidas por seres humanos. Nesse ensaio, Turing apresentou também uma série de argumentos contra a afirmação de que máquinas não podem simular inteligência humana.

Em 2014, um programa de computador russo passou no teste, convencendo mais de 30% de seus indagadores humanos de que as respostas tinham sido dadas por um garoto de 13 anos.

As pesquisas de Turing com máquinas inteligentes levantaram importantes questões filosóficas sobre inteligência artificial e consciência humana. Em 1950, ele escreveu: "Acredito que até o fim do século [...] será possível falar em máquinas pensantes." O tema ainda é ficção científica, talvez não por muito tempo.

ALAN TURING (1912-1954)

Nascido em Londres, Alan Turing foi uma das figuras-chave no desenvolvimento de computadores, com sua descrição, em 1936, de uma máquina hipotética capaz de realizar funções com os dados a ela fornecidos.

Como Turing havia estudado, em 1938, na Code and Cypher School, instituição de ensino público britânico, quando no ano seguinte a Segunda Guerra Mundial estourou, ele estava em perfeitas condições para integrar uma equipe em Bletchley Park que vinha trabalhando no projeto de decodificação de mensagens cifradas dos nazistas. Essas mensagens eram codificadas por uma máquina alemã conhecida como Enigma, e a contribuição ao esforço de guerra de Turing resultou na criação de uma máquina de criptoanálise chamada Bombe, com a qual acabaram conseguindo encontrar a chave para decifrar os enigmas nazistas. Foi uma contribuição de suma importância para a vitória dos Aliados, e a teoria da informação e da matemática estatística apresentada por ele ajudou a transformar a criptoanálise numa ciência.

Em 1952, Turing foi preso por práticas homossexuais, ilegais na Inglaterra daqueles dias. Seu status de cidadão protegido por um esquema de segurança especial foi revogado e, em 1954, ele cometeu suicídio, ingerindo um pedaço de maçã envenenado com cianureto.

Solucionando o Último Teorema de Fermat: Andrew Wiles

O matemático Andrew Wiles (1953-) fez suas primeiras indagações em torno do último teorema de Fermat (pág. 57) quando tinha apenas 10 anos, depois de se deparar com o problema — que perdurava fazia 326 anos — numa biblioteca.

Pierre de Fermat (pág. 57) propôs o problema em 1637, numa anotação rabiscada em seu exemplar do antigo livro *Arithmetica*, do grego Diofanto, onde informou que a prova de sua solução (uma "demonstração simplesmente maravilhosa") não caberia nas margens da obra. Como Wiles se utilizou de métodos que não existiam na época de Fermat, muitos matemáticos acham agora que o francês se equivocou quando afirmou que havia elaborado uma demonstração do teorema.

Em seu último teorema, Fermat afirma que a equação simples $a^n + b^n = c^n$ só pode ser solucionada com números inteiros positivos se n não for maior do que dois.

Acontece que, como Fermat afirmou que $n = 4$ é um caso especial, fácil de solucionar, o desafio não é aplicável a este caso. Já em meados do século XIX, provou-se a validade do teorema no caso de muitos números primos e, com o advento dos computadores, tornou-se possível fazer cálculos que demonstravam sua validade envolvendo números primos até 4 milhões. Mas uma prova abarcando todos os números foi considerada "inacessível" — impossível de apresentar ou, pelo menos, indemonstrável com o conhecimento do século XIX.

Todavia, sucessivos trabalhos de matemáticos no século XX provaram, em 1986, que o teorema podia ter correlação com a conjectura de Taniyama-Shimura-Weil (mais tarde conhecido como teorema da modularidade), que estabelece uma importante relação entre curvas elípticas e formas modulares — funções analíticas complexas em *quatro* dimensões. Se a correlação estivesse correta, qualquer solução para a equação de Fermat criaria uma curva elíptica não modular, portanto ela não poderia existir. Isso, juntamente com outras novas ideias, reavivou o interesse de Andrew Wiles no problema.

Em 1994, Wiles havia sido tão bem-sucedido na demonstração da validade da proposição dessa nova questão de modularidade que provou também a validade do último teorema de Fermat. Contudo, descobriram que havia um pequeno erro em sua primeira demonstração. Em um trabalho com seu ex-aluno Richard Taylor (1962-), Wiles contornou esse problema e publicou sua prova cabal do teorema em 1995.

Em 2000, Wiles recebeu o título de Sir por seu grande feito, solucionando um quebra-cabeça matemático que perdurava desde longa data.

WWW — A Rede Mundial de Computadores: Tim Berners-Lee

Os computadores são uma assombrosa evolução das primitivas máquinas de calcular, como a Pascalina (pág. 58), a máquina analítica de Charles Babbage (1791-1871), os algoritmos de Ada Lovelace (1815-52) e a máquina de Turing (pág. 67). A coligação de computadores em redes de comunicação computadorizada demonstrou quanto eles podiam ser úteis e eficientes. Assim, Tim Berners-Lee (1955-), cientista inglês da computação, chegou ainda mais longe em 1989, inventando a rede mundial de computadores (World Wide Web).

Berners-Lee formulou sua proposta inicial para a criação da Web enquanto trabalhava na Organização Europeia de Pesquisas Nucleares (CERN). Imaginou um ambiente global de troca de informações no qual computadores ficariam interligados numa gigantesca rede computadorizada, em que fontes de dados pudessem ser acessadas gratuitamente por todos. Na época, algo semelhante à atual Internet existia na forma de redes com pequenos grupos de computadores coligados a outros grupos ou a unidades computacionais usadas por cientistas e militares, mas Berners-Lee percebeu que, por meio de hipertextos ou links, poderia criar uma rede de arquivos interligados, ou "documentos", acessíveis pela Internet.

Em 1990, Berners-Lee pôs sua ideia em prática com a criação do Protocolo de Transferência de Dados por Hipertexto (HTTP, na sigla em inglês), a linguagem usada por computadores para transmitir arquivos entre si. Criou também a Linguagem de Marcação por Hipertexto (HTML, idem) com que fazemos a formatação gráfica de páginas da Web, desenvolveu um programa, ou navegador, visando permitir que os usuários da rede pudessem lê-las ou "navegar" por elas, e montou o primeiro servidor (distribuidor) de dados, conhecidos como páginas e arquivos da Web.

Ele se recusou a patentear sua invenção, já que seu desejo maior era que ela pudesse ser usada gratuitamente por todos, chegando até a fazer campanhas para manter quaisquer áreas da Web com acesso aberto. Em 1994, criou a Associação da Rede Mundial de Computadores (World Wide Web Consortium, ou W3C, na sigla em inglês), organização que supervisiona os padrões de linguagem computacional, segurança e desenvolvimento da Web. Em 2004, Berners-Lee recebeu o título de Sir e também honrarias de universidades e instituições de várias partes do planeta.

Hoje em dia, os jovens não conseguem imaginar um mundo em que seus computadores — sem falar nos smartphones, nos tablets ou até mesmo nos smartwatches — não permaneçam conectados a outros ao redor do planeta. A invenção de Berners-Lee revolucionou drasticamente os meios de comunicação e a troca de informações.

Física: Do que as Coisas São Feitas

O mundo da física nasceu da palavra grega que significa "natureza". Ela é, portanto, uma ciência que explora a natureza de todas as coisas. As leis da física são as leis da natureza, e uma importante parte da história desta ciência envolve a descoberta de leis comuns, igualmente aplicáveis a todas as partes do universo, da estrela ao átomo. Nos dias atuais, a física é vista como uma ciência mais intimamente relacionada com o estudo de matéria e energia, ou das partículas e das forças que agem sobre elas.

Até as últimas décadas do século XIX, o mundo físico era explicado exclusivamente com base nos princípios da mecânica clássica (ou newtoniana): a física da realidade da vida diária. Todavia, já em 1900, existiam novos ramos de estudos correlatos a esta ciência — como o da relatividade e da física quântica —, em que os princípios da mecânica newtoniana não podiam ser aplicados.

Portanto, a física está dividida em duas partes. Embora seja normal que, nas ciências, conceitos modernos acabem sendo substituídos por conceitos antigos, a física "moderna" não substituiu a física clássica. Na verdade, a última permanece ao seu lado, preservando os conceitos antigos. Os princípios da física clássica são aplicáveis ao mundo das experiências que vivenciamos, como, por exemplo, as relacionadas com os fenômenos da eletricidade, do som e do funcionamento/engenharia das máquinas. Já os campos do conhecimento da física moderna, como da mecânica quântica, da física das partículas ou da relatividade, ocupam-se dos fenômenos e entidades da natureza de características excepcionais: as menores partículas atômicas conhecidas, a velocidade da luz ou corpos celestes gigantescos.

As Primeiras Teorias dos Elementos e das Partículas: Tales e Aristóteles

Costuma-se dizer que a física começou com as ideias do antigo filósofo grego Tales de Mileto, que nasceu por volta de 624 a.C. Ele foi a primeira pessoa de que se tem notícia a argumentar que superstições e crendices deveriam ser abandonadas, e que as pessoas precisariam entender e explicar os fenômenos naturais com base no empirismo. Infelizmente, ele dedicou muito tempo à observação da água e formulou a tese de que o mundo é feito de água sob diferentes formas.

Tales ficou esquecido durante muitos séculos e, em vez de suas teses, os cientistas ocidentais seguiram as teorias do grande cientista e filósofo grego Aristóteles (384-322). Este acreditava que tudo na Terra era feito de quatro elementos — terra, ar, fogo e água.

Como as ideias de Aristóteles foram incorporadas à filosofia cristã, no início da Idade Média europeia não era considerado aceitável questionar sua visão do universo. Por isso, somente com o advento da Renascença, as ciências floresceram na Europa. Um dos seus grandes expoentes foi o artista Leonardo da Vinci (1452-1519), que também se destacou como engenheiro mecânico, inventor e cientista versátil.

A Mecânica Newtoniana: Sir Isaac Newton

É um mito a história de que uma maçã caiu na cabeça de Isaac Newton (pág. 62), inspirando-o a "descobrir" a gravidade. Mas é verdade que formulou sua teoria para explicar o fenômeno da queda dos corpos enquanto passeava pelo jardim, cogitando por que as maçãs caíam. Ele publicou sua revolucionária teoria da gravidade, em 1687, num dos livros científicos mais importantes de todos os tempos: *Principia*. A obra continha também a exposição das leis do movimento, as quais fundaram a mecânica clássica. Como se isso não bastasse, Newton (1642-1727) foi também coinventor do cálculo matemático (pág. 61), fez importantes avanços na área da óptica e ajudou a desenvolver o moderno método de investigação, experimentação e análise científica.

Com suas três leis, Newton explicou como forças e massas agem umas sobre as outras para criar movimento. São elas:

1ª. Todo corpo em movimento uniforme tende a permanecer nesse estado, a menos que uma força externa seja aplicada sobre ele. Essa formulação é também chamada lei da inércia e confirmou as ideias do cientista italiano Galileu Galilei (pág. 34), que estudou o movimento dos pêndulos e a queda dos corpos.

2ª. A relação entre a massa de um corpo (m), sua aceleração (a) e a força nele aplicada (F) é $F = ma$. Esta equação simples permite o cálculo da energia cinética. Ela esclarece por que as velocidades variam quando influenciadas por forças externas e explica por que determinada força não consegue mover um corpo muito grande, mas é capaz de acelerar um corpo menor com muito mais rapidez.

3ª. A toda ação corresponde uma reação com a mesma intensidade, mesma direção e sentidos contrários. Com essa lei, Newton explicou muitos movimentos, desde o da natação (quando nada, a pessoa empurra a água para trás e a água reage, impulsionando a pessoa para frente) ao de carros derrapando sobre superfícies cobertas com uma camada de gelo (as rodas ficam sem aderência, impossibilitadas de exercer uma força sobre o chão, que, assim, não consegue "reagir" e mover o veículo para frente).

Em conjunto, essas mundialmente famosas leis estabeleceram a base da mecânica clássica, e as teorias de Newton são o fundamento da física clássica até hoje.

Os Relâmpagos sob Controle: Benjamin Franklin

Muitas palavras relacionadas à eletricidade foram cunhadas por Benjamin Franklin: bateria, carga, condutor e até mesmo eletricista. Fazia muito tempo que a eletricidade era tida como um fenômeno estático e, na década de 1740, máquinas elétricas capazes de produzir faíscas em fricção com âmbar ou outros materiais eram usadas como forma de entretenimento ou em números de "espetáculos".

Franklin acreditava que as fagulhas elétricas que ele via em seu laboratório tinham relação com raios, e também que a eletricidade não era necessariamente estática, mas, em certo sentido, se assemelhava mais a um fluido, de tal forma que poderia ser levada a seguir determinado caminho. Isso pode tê-lo induzido a realizar a *suposta* experiência de empinar uma pipa com uma das extremidades de sua linha amarrada a uma chave durante uma tempestade.

De fato, Franklin descobriu que relâmpagos e eletricidade são a mesma coisa, e inventou um para-raios com um cabo de metal que se estendia verticalmente por um dos lados de um edifício, cabo cuja ponta inferior ele enfiou na terra e cuja extremidade superior fixou a uma barra de metal apontando para cima, no topo do prédio.

Foi um inventor de uma engenhosidade fecunda. Atribui-se a ele, aliás, a concepção de um projeto de fogão eficiente e a invenção de óculos bifocais, dos quais ele mesmo precisava.

BENJAMIN FRANKLIN (1706-1790)

Nascido em Boston, Massachusetts, estado que, naquela época, era uma colônia britânica, Franklin foi uma figura de destaque na Guerra de Independência Americana, ajudando, inclusive, a redigir a Declaração de Independência. Foi ele que assinou o tratado de paz com a Grã-Bretanha no fim da guerra. Seu filho mais velho, William, continuou leal à Inglaterra, fato que causou uma desavença permanente entre pai e filho.

Franklin teve muitas carreiras de sucesso: em diferentes períodos de sua vida, foi impressor, jornalista, chefe do correio, diplomata e político, além de cientista e inventor. Foi também filantropo, tendo ajudado a fundar várias instituições que existem até hoje, como o Pennsylvania Hospital e a Philadelphia Union Fire Company (corpo de bombeiros da cidade). Foi um apaixonado defensor da abolição da escravatura e achava que seu trabalho no serviço público era mais importante do que suas contribuições científicas.

Pernas de Rãs e a Pilha Elétrica: Alessandro Volta

Em 1786, o físico italiano Luigi Galvani (1737-98) observou que pernas de rãs recém-cortadas penduradas em ganchos de cobre sofriam espasmos e se contraíam quando tocavam em um trilho de ferro. A origem do fenômeno lhe pareceu o de um circuito elétrico, embora não houvesse máquina elétrica alguma em operação na experiência. Galvani acreditou que eram as pernas que descarregavam eletricidade e que havia testemunhado uma forma de “eletricidade animal”. Concluiu que a carga elétrica ficava armazenada nos corpos dos animais.

Seu compatriota Alessandro Volta (1745-1827) discordou do colega. Afinal, as experiências de Volta com pernas de sapos e até com a própria língua demonstraram que nervos e músculos apresentavam convulsões quando postos entre um circuito metálico. Isso o levou a pensar que qualquer material imbuído de certas substâncias e posto entre placas metálicas criaria uma corrente contínua. Essa conclusão preparou o terreno para o advento da pilha.

A primeira “pilha voltaica”, como foi inicialmente denominada, era formada por uma coluna de discos de zinco e cobre sobrepostos, separados entre si por papel ou couro e pedaços de pano umedecidos com uma solução salina ou ácido diluído. A pilha tinha fios projetando-se do topo e da base. Testando sua pilha em contato com várias substâncias, Volta provou que, de fato, ela produzia uma corrente elétrica.

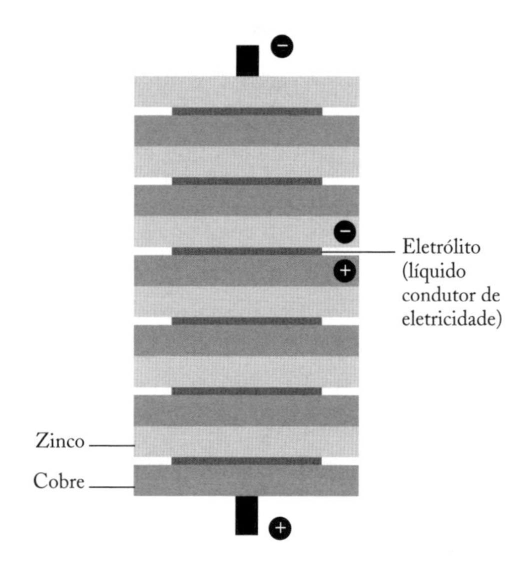

A pilha voltaica: a primeira pilha elétrica.

Embora não tivesse feito muita coisa além disso com sua pilha, ela foi rapidamente adotada por outros cientistas como instrumento confiável de produção de eletricidade. Logo demonstraram que o que produzia a corrente era uma reação química na pilha. A máquina foi adotada por Humphry Davy (pág. 103), entre outros, principalmente para a decomposição química de substâncias: a eletrólise.

Átomos, Moléculas e Elétrons: Amedeo Avogadro e J. J. Thomson

Em 1803, o químico inglês John Dalton (pág. 104) afirmou que as menores frações de matéria eram formadas por unidades minúsculas, denominadas átomos. Era uma teoria semelhante a uma proposta feita certa vez na Grécia Antiga, mas que acabara abandonada em favor da visão de mundo de Aristóteles. Em uma antecipação do futuro, levando em conta a validade da tese aventada, o conceito de átomo se tornaria fundamental para a nova física das partículas; a química e a física começavam a se complementar cada vez mais.

Em 1811, o físico e matemático italiano Amedeo Avogadro (1776-1856) apresentou ao mundo seu novo conceito de "molécula", termo com que designou agrupamentos de partículas materiais contendo mais de um átomo. A lei de Avogadro, que afirma que volumes iguais de gases, nas mesmas condições de pressão e temperatura, contêm o mesmo número de moléculas, havia caído no esquecimento durante muito tempo. Mesmo assim, o termo por ele cunhado acabou sendo adotado pelos cientistas.

Mas foi necessário esperar até o fim do século para que se tomasse conhecimento da existência da primeira partícula subatômica, descoberta em 1899 pelo inglês J. J. Thomson (1856-1940). Ela aconteceu quando ele repetia uma experiência com raios catódicos, considerados raios misteriosos que agiam no vácuo, tal como ondas eletromagnéticas, e apresentavam algumas propriedades de metais e gases. Ele os estudou utilizando tubos de raios catódicos, ou tubos de descarga. Com isso, Thomson descobriu que os raios eram atraídos para o lado positivamente carregado do campo elétrico, o que significava que deviam ter carga negativa, já que os opostos se atraem. Então, como os físicos sabiam que a luz não tem carga, os raios só podiam ser formados por minúsculas partículas de matéria. Usando uma nova técnica de reprodução de fenômenos magnéticos para pesar as partículas, Thomson descobriu que elas são 1.800 vezes mais leves do que um átomo de hidrogênio, o mais leve dos átomos, concluindo que só podiam ser partículas subatômicas — corpúsculos que chamou de elétrons. Ele propôs que o campo elétrico as arrancava de seus átomos dentro do tubo de raios catódicos.

MAGNETISMO: CARL FRIEDRICH GAUSS

Além de físico, astrônomo e matemático notável (pág. 63), o polímata alemão Carl Friedrich Gauss inventou o heliotrópio enquanto supervisionava uma operação de agrimensura, e criou também um magnetômetro ao ajudar Alexander von Humboldt (1769-1859) a mapear o campo magnético da Terra em 1832.

Apenas doze anos antes, em 1820, Hans Christian Ørsted (1777-1851) descobrira, na Dinamarca, a relação entre eletricidade e magnetismo, observando que a agulha de uma bússola deixada num lugar qualquer nas proximidades se magnetizava quando ele ligava sua pilha voltaica. Confirmou assim, por acaso, as descobertas do francês André-Marie Ampère (1775-1836), que demonstrou que a polaridade do ímã pode diferir, dependendo da direção da corrente elétrica. Hoje em dia, a maior parte da energia elétrica que consumimos é gerada por eletromagnetismo de uma ou de outra forma.

O aparelho de Gauss consistia em uma barra imantada suspensa por um fio de ouro, aparelho que ele usava para medir a força e a direção do fluxo de um campo magnético de um local específico. Com seu colega Wilhelm Weber (1804-91), Gauss construiu o primeiro telégrafo eletromagnético, tendo conseguido transmitir mensagens a um ponto situado a mais de 1,5km de distância. Ele também considerava muito importante, com seus estudos de magnetismo, a descoberta de vários princípios matemáticos, tendo escrito três ensaios sobre o assunto.

Gauss deixou para o mundo, quase como um subproduto de seus esforços intelectuais, uma definição empírica da força do magnetismo terrestre, apresentou uma medição precisa dessa força, demonstrou por que só podem existir dois polos e provou a validade de um teorema estabelecendo a relação entre intensidade de campo magnético e inclinação magnética.

Indução Eletromagnética: Michael Faraday

Ex-aprendiz de encadernador, o pesquisador inglês Michael Faraday (1791-1867) criou o primeiro motor elétrico em 1821, deixando furioso seu mentor Humphry Davy, indignado com a ideia de ver o aprendiz tornando-se o centro das atenções. Somente depois da morte de Davy, Faraday voltou aos seus estudos e experiências com eletromagnetismo. Primeiro, provou o fenômeno da "rotação eletromagnética". Ele demonstrou que um fio eletricamente carregado, pendente de um ponto, gira em torno de uma barra imantada fixa e que essa mesma barra, fixada apenas por uma de suas extremidades, gira em torno de um fio fixo eletricamente carregado.

Sua segunda experiência objetivava observar o que aconteceria se ele fizesse uma corrente elétrica passar por uma bobina ligada a outra por um anel de ferro. A segunda bobina tinha também um fio suspenso sobre uma bússola. Como esperado, a primeira bobina se magnetizou, mas Faraday notou também um ligeiro movimento na agulha da bússola. Ele havia descoberto a indução eletromagnética — a produção de uma corrente elétrica por meio de um campo magnético.

Empenhando-se em outras experiências, Faraday conseguiu produzir indução eletromagnética, convertendo magnetismo em eletricidade e provando que existe apenas um tipo de eletricidade. Descobriu também a primeira lei da eletrólise: o efeito químico produzido por uma corrente elétrica numa substância é sempre proporcional à quantidade de eletricidade que a atravessa. Foi então que Faraday inventou um instrumento para medir a quantidade de eletricidade/carga elétrica usada nesse tipo de experiência (o voltâmetro ou coulombímetro — não confundir com voltímetro) e o utilizou para provar a segunda lei da eletrólise: o equivalente eletroquímico (carga elétrica) de uma substância é proporcional a seu equivalente-grama.

Com seu trabalho pioneiro, Faraday introduziu termos usados até hoje na esfera da ciência, como eletrodo, anodo e catodo. Tornou-se uma personalidade pública e passou a ser alvo de consultas sobre todo tipo de questão científica, incluindo a da preservação de tintas das obras da National Gallery de Londres.

Radiação Eletromagnética: James Clerk Maxwell

O gênio escocês James Clerk Maxwell (1831-79) é considerado um dos maiores cientistas de todos os tempos. Seus interesses iam desde o conhecimento das propriedades da luz (seu conceito de que a luz é uma forma de radiação eletromagnética ajudou Einstein a chegar à teoria da relatividade, pág. 36) até a aplicação de métodos estatísticos na física e na físico-química. Foi também o primeiro homem a produzir uma fotografia colorida.

Antes de seu trabalho sobre eletromagnetismo, a compreensão que se tinha de eletricidade e magnetismo era que se tratava de partículas que exerciam forças umas sobre as outras. Ele demonstrou que, ao contrário, ambos deviam ser vistos como campos existentes no espaço, conforme descritos por suas equações e os princípios enunciados por elas, que são:

1. Cargas diferentes se atraem; cargas semelhantes se repelem (princípio também chamado de lei de Coulomb).
2. Não existem polos magnéticos isolados (se houver um polo norte, sempre haverá um polo sul equivalente).
3. Correntes elétricas podem gerar campos magnéticos.
4. Campos magnéticos variantes podem gerar correntes elétricas.

Maxwell demonstrou que efeitos elétricos e magnéticos são diferentes manifestações de uma mesma força eletromagnética, unificando-os, assim, para sempre, na esfera dos fenômenos eletromagnéticos. Conforme sua conceituação, a luz é "uma perturbação eletromagnética na forma de ondas que se propagam através do campo eletromagnético, de acordo com leis eletromagnéticas".

Foi uma maneira totalmente nova de encarar a natureza das forças, mas Maxwell previu que deviam existir outras "perturbações no campo eletromagnético" ou formas de radiação eletromagnética. De fato, outros tipos de onda, tais como as ondas de rádio e as dos raios X, foram descobertos depois. Cientistas, tanto da física quanto da química e da biologia, logo se acostumaram com a ideia de tratar dos elementos desse fenômeno, em discussões e considerações, de acordo com seus comprimentos de ondas eletromagnéticas.

James Clerk Maxwell foi um dos poucos cientistas que entenderam perfeitamente o método de aplicação da termodinâmica de Josiah Willard Gibbs para interpretar os fenômenos físico-químicos (pág. 111). Morreu de câncer aos 48 anos.

Ondas de Rádio: Heinrich Hertz

Graças à sua descoberta das ondas de rádio, se o físico alemão Heinrich Hertz (1857-94) tivesse vivido por mais algum tempo, veria o mundo quase totalmente transformado, mas ele morreu pouco antes de completar 37 anos, devido a uma bacteremia.

Em meados dos anos 1880, Hertz iniciou experiências para tentar provar empiricamente a existência de ondas eletromagnéticas. Ele usou um aparelho simples, formado por um circuito oscilador, contendo uma bobina de indução e um centelhador composto por um arco montado sobre um suporte. Na extremidade oposta da mesa, ele montou outro circuito, constituído apenas de um centelhador. Depois, observou que uma descarga visível nas pontas do centelhador, liberada pela bobina de indução, era acompanhada por uma centelha mais fraca, gerada no circuito receptor, provando assim a existência das ondas elétricas.

Depois de outras experiências com essas ondas, mais tarde conhecidas como ondas de rádio, Hertz demonstrou que elas eram passíveis de reflexão, refração e difração.

O aparelho de Hertz permitia a detecção de ondas de rádio a uma distância de apenas 18 metros, mas ele estabeleceu as bases para o sistema de comunicação desenvolvido mais tarde por Guglielmo Marconi (1874-1937), que conseguiu realizar, em 1901, a primeira transmissão transatlântica sem fio, ou via rádio, de sinais telegráficos.

Raios X: Wilhelm Röntgen

Em 1895, o alemão Wilhelm Röntgen (1845-1923) pesquisava sobre as propriedades dos raios catódicos (feixes de elétrons) emitidos por tubos de descarga. Durante a experiência, ele descobriu que uma tela fotossensível em sua bancada de trabalho ficava fluorescente e emitia luz quando o tubo era usado. Observou que objetos postos entre o tubo e a tela produziam imagens escuras que podiam ser impressas em chapas fotográficas. Röntgen também notou que, quanto mais denso o objeto, mais escura era a imagem. Assim, quando se punha uma das mãos no local, os ossos produziam imagens mais escuras do que a carne humana.

Röntgen constatou também que, mesmo depois de transferida a tela para um recinto adjacente, ela continuava a produzir luminescência quando o tubo era acionado. Essa grande capacidade de emissão luminosa o levou a concluir que a radiação era algo totalmente diferente dos raios catódicos. Visto que não conseguiu determinar a natureza exata dos raios recém-descobertos que saíam do invólucro de vidro do tubo, ele os chamou de "raios X". Antes que anunciasse a descoberta, realizou outras experiências e constatou que os raios X atravessam, sem sofrer nenhuma alteração, cartolinas e finas placas de metal, além do fato de que viajam em linha reta e que não são desviados por campos elétricos ou magnéticos.

Quando Röntgen divulgou a descoberta dos incríveis raios X, ilustrou sua palestra mostrando ao público uma chapa com a imagem da mão de um homem.

Semanas após o anúncio de sua descoberta, aparelhos de raios X já eram usados em hospitais. Eles transformaram as ciências médicas, mas também são utilizados amplamente em cristalografia, metalografia e física atômica. No entanto, nem todos gostaram. Uma publicação americana divulgou um poema que terminava assim:

For nowadays, [Pois hoje em dia,]

I hear they'll gaze, [Dizem que eles conseguem ver,]

Thro' cloak and gown — and even stays, [Através de capas e túnicas — e até de espartilhos,]

Those naughty, naughty, Roentgen Rays. [Esses maliciosos, maliciosos raios X.]

Röntgen se recusou a obter vantagens financeiras com sua descoberta, pois acreditava que todos deveriam ter o direito de se beneficiar dela gratuitamente.

A Teoria dos Quanta: Max Planck

No fim do século XIX, os físicos não conseguiam explicar por que o espectro de radiação emitido pelo chamado corpo negro não correspondia às expectativas geradas pela teoria eletromagnética então aceita. Corpos negros são objetos ou superfícies que absorvem toda radiação eletromagnética que incide sobre eles. Uma superfície recoberta com o pigmento denominado negro-de-fumo é um corpo negro quase perfeito, e muitas vezes estrelas e planetas são usados na representação de corpos negros.

Depois de alguns anos estudando o problema, o físico teórico alemão Max Planck (1858-1947), Nobel de Física em 1918, identificou a primeira falha demonstrável dos modelos de representação da física clássica quando propôs que a inesperada existência desse espectro eletromagnético só podia ser explicada caso se considerasse que a radiação não se propagava num fluxo contínuo, conforme aventado em teorias eletromagnéticas da época, mas em porções separadas, como minúsculos pacotes ou quanta. O quantum, a forma singular daquele termo latino que significa quantidade, é uma unidade independente e indivisível, a menor porção de energia existente possível.

A divulgação da teoria de Planck, em 1900, marcou o nascimento da teoria dos quanta, ou da física quântica, uma forma totalmente nova de encarar os princípios fundamentadores da realidade. A teoria dos quanta abrangeria conceitos como a posição relativa do observador no universo ou de um fenômeno qualquer, em que o próprio ato de observar uma experiência afeta seu resultado; a dualidade partícula-onda, em que uma partícula subatômica se comporta também como onda; e a questão de saber se os fótons (partículas de luz) se comunicam ou não uns com os outros. Alguns desses conceitos até parecem sem sentido, pois eles se aplicam apenas no âmbito da física quântica, e não na realidade da vida comum dos seres humanos.

Para descrever sua teoria em linguagem matemática, Planck desenvolveu uma equação demonstrando que a energia de uma molécula, E (medida em joules), é igual à sua frequência, v (medida em Hertz), multiplicada pelo valor de uma nova constante, h (medida em joule-segundos): $E = hv$. Essa nova constante identificada por ele acabou ganhando o nome de constante de Planck.

Radioatividade: Marie Curie

Em 1896, o físico francês Henri Becquerel (1852-1908) fez a primeira divulgação de sua observação dos "comportamentos singulares" do urânio, quando descobriu ondas radioativas emitidas por esse elemento. Constatou que essas ondas se comportavam mais ou menos como os raios X, já que eram capazes de penetrar a matéria e ionizar o ar.

Em sua busca por um tema apropriado para pesquisar, Marie Curie resolveu descobrir se outras substâncias apresentavam esses "comportamentos singulares". Juntamente com o marido, fez testes com uma porção de refugo de minério do qual se havia extraído urânio e, quando descobriu que essa uraninita (óxido de urânio) ainda emitia raios estranhos, concluiu que, considerando o fato de que não existia mais urânio no material, só podia haver outras substâncias ali que apresentassem esses mesmos comportamentos. A isto os dois denominaram radioatividade.

Acabaram descobrindo novos elementos químicos, que batizaram de polônio (em homenagem à Polônia, a terra natal da cientista) e rádio. Observaram também que seu "comportamento singular" era uma propriedade química que afetava tecidos orgânicos. Mas não faziam ideia de que os danos causados aos tecidos pelas substâncias recém-descobertas podiam ser letais.

Contudo, a descoberta da radioatividade inspirou outros cientistas, que aprofundaram pesquisas sobre os átomos e a estrutura atômica. Em 1901, Ernest Rutherford (1871-1937) ajudou a descobrir o mecanismo que existe por trás da radioatividade quando constatou que os átomos de alguns elementos instáveis se decompunham em átomos de outros elementos, emitindo partículas carregadas.

A partir de 1915, Marie Curie começou a instruir médicos na utilização do rádio para o tratamento de artrite, cicatrizes e alguns tipos de câncer. Suas pesquisas na utilização terapêutica de substâncias radioativas levaram ao desenvolvimento do emprego de raios X na medicina, e, durante a Primeira Guerra Mundial, ela ajudou a levar unidades de radiologia móveis para os campos de batalha, visando ajudar a localizar estilhaços de explosivos em soldados feridos. Esses combatentes apelidaram essas unidades ou "caixas" de "*petites Curies*", ou "pequenas Curies".

MARIE CURIE (1867-1934)

Nascida em Varsóvia, então parte do Império Russo, Marie Curie estudou na Universidade de Paris (Sorbonne), onde se formou como a primeira aluna da turma em 1893. Em 1903, tornou-se a primeira mulher a ganhar o Prêmio Nobel, concedido a ela por suas pesquisas sobre radiação na área da física, junto com Pierre, seu marido, e Henri Becquerel. Na verdade, foi pioneira em muitos outros feitos: em 1909, tornou-se a primeira professora a lecionar na Sorbonne, embora tivesse feito isso com certa tristeza, já que substituíra o finado marido; em 1911, ganhou seu segundo Prêmio Nobel, desta vez em química, por sua descoberta dos elementos químicos rádio e polônio. A façanha a tornou a primeira cientista a ganhar dois Prêmios Nobel em diferentes áreas do conhecimento.

Apesar de todos os seus feitos, Marie Curie enfrentou preconceito de cientistas do sexo oposto, e, por isso, não foi eleita para a

Academia Francesa de Ciências. Morreu de leucemia, decorrente de sua exposição a substâncias radioativas, e seus cadernos continuam impregnados de radiação até hoje.

O Ano Relativamente Milagroso: Albert Einstein

O ano de 1905 ficou conhecido como o "ano milagroso" de Einstein, visto que ele publicou quatro estudos que deram grande contribuição à compreensão do universo.

O primeiro dizia respeito à teoria dos quanta de luz. Max Planck (pág. 83) tinha proposto anteriormente que a energia se propaga na forma de partículas minúsculas, denominadas quanta, e Einstein levantou a hipótese de que a luz é composta por quanta. Hoje, esses quanta de luz são chamados fótons.

No segundo, explicou o movimento browniano — o movimento aleatório de partículas microscópicas — como o movimento dos átomos. Ele dividiu o crédito do avanço nesse campo da ciência com Marian Smoluchowski (1872-1917).

Em seu terceiro estudo, ele expôs a teoria especial da relatividade. Posteriormente, com a formulação da sua teoria geral da relatividade (pág. 36), Einstein mudou as ideias de Newton a respeito de campos gravitacionais, e sua teoria especial suplantou os conceitos de espaço e tempo absolutos. De acordo com sua nova conceituação, tempo e espaço são valores relativos ao observador: podem ser percebidos de forma diferente, dependendo da circunstância. Por exemplo, um relógio atômico sendo transportado num avião a jato funciona mais lentamente do que um relógio semelhante mantido estacionário no chão, pois este se encontra num estado de movimento diferente do primeiro.

Ainda em 1905, Einstein demonstrou, em seu quarto estudo, a equivalência entre energia e massa, expressa em sua fórmula $E = mc^2$. Com isso, propôs que a energia de um corpo equivale à sua massa (m) multiplicada pela velocidade da luz (c) ao quadrado. A velocidade da luz é tão grande que a conversão de até mesmo uma porção ínfima de matéria libera uma enorme quantidade de energia.

De modo geral, a influência que Einstein teve sobre os rumos da ciência é incalculável. Ele destronou a limitada física clássica de Newton com conceitos envolvendo massa e velocidade em condições extremas e instaurou uma nova forma de observar o universo.

ALBERT EINSTEIN (1879-1955)

Nascido no seio de uma família de ascendência judaica, Albert Einstein foi estudar na Suíça, onde acabou se instalando para trabalhar, e obteve cidadania em 1901, quando conseguiu um emprego como perito no departamento de patentes. Era um trabalho tão fácil que o grande gênio teve tempo de sobra para desenvolver algumas de suas teorias científicas e obter o doutorado. Mais tarde, aceitou cargos em algumas instituições científicas e acadêmicas da Alemanha.

Quando os nazistas começaram a incentivar práticas antissemitas no país, Einstein iniciou uma turnê de palestras no exterior. Em 1932, abandonou a Alemanha definitivamente e imigrou para os Estados Unidos, conseguindo a cidadania americana em 1940. Em 1952, recusou o convite para se tornar presidente de Israel.

Como era pacifista, uma de suas últimas e notáveis atitudes foi lançar um apelo aos líderes mundiais para que usassem meios pacíficos na solução de conflitos.

Micro-ondas e a Fisiologia Vegetal: Jagadis Chandra Bose

Inventor e cientista de vanguarda, o indiano Jagadis Chandra Bose estava à frente de seu tempo em muitas coisas, visto que alguns de seus conceitos e descobertas só foram aceitos pela comunidade científica como um todo anos após sua morte, ocorrida em 1937.

Quando Bose descobriu a existência de radiações com comprimentos de onda muito pequenos — alguns milímetros —, ele as denominou “ondas milimétricas”. Em suas experiências com essas emissões, criou sem querer um radiodetector aperfeiçoado, bem como vários componentes de micro-ondas que são comuns hoje — mas outros cientistas fariam uso somente 50 anos depois de suas descobertas das propriedades quase-ópticas das ondas de radiofrequência curtas.

Não apenas simplesmente negligenciadas, suas teorias sobre a fisiologia das plantas foram sistematicamente combatidas na época. Não obstante, criou instrumentos de alta sensibilidade para medir o crescimento e a reação de plantas a estímulos externos, tais como luz, tato e temperatura, além de estímulos desagradáveis, como cortes em seus tecidos ou contato com produtos químicos nocivos. Bose conseguiu provar que as reações das plantas a esses estímulos eram de natureza elétrica, e não química, tal como havia pensado.

Demonstrou ainda, com outras experiências, que barulho ou ruídos podem afetar o desenvolvimento das plantas: crescem mais rápido e ficam mais resistentes quando expostas a música suave e agradável, mas seu crescimento é retardado com sons pesados ou desagradáveis.

Na época, as descobertas de Bose foram consideradas extravagantes, e muitos cientistas não conseguiam aceitar a ideia de que plantas podiam comportar-se ou reagir da mesma forma que animais, quando estimuladas. Hoje em dia, essa reação do sistema nervoso vegetal é perfeitamente aceita, embora seja considerada uma simples reação instintiva. Poucas pessoas acreditam que as plantas têm algum tipo de consciência por causa disso.

JAGADIS CHANDRA BOSE (1858-1937)

Sir Jagadis Chandra Bose nasceu no Paquistão Oriental (atual Bangladesh). Frequentou a escola de um povoado próximo antes de seguir para Calcutá e então partiu para a Grã-Bretanha, onde concluiu seus estudos. Quando retornou ao país natal, tornou-se o primeiro indiano a ocupar o cargo de professor da Presidency College, em Calcutá, mas o salário era mais baixo do que o dos europeus que exerciam a mesma função. Como forma de protesto, Bose recusou-se a receber o salário. Mas desenvolveu um trabalho tão notável que a instituição acabou concordando em equiparar seus vencimentos e finalmente pagar os atrasados.

Bose defendia com ardor a ideia de que a Índia precisava criar uma moderna base científica e técnica, e se opunha a diferenças de casta e conflitos religiosos entre hindus e muçulmanos.

No início, firmado na convicção de que o conhecimento e seus frutos deveriam beneficiar toda a humanidade, Bose deixou de patentear muitas de suas descobertas. Em 1917, recebeu o título de Sir pelos serviços prestados à ciência.

Nasce a Física Nuclear: Ernest Rutherford e Niels Bohr

Em 1904, J. J. Thomson (pág. 77) havia proposto o modelo de estrutura atômica dos elementos que ficou conhecido como "pudim de ameixas". De acordo com esse modelo, os elétrons, levíssimas partículas de carga negativa, ficam distribuídos uniformemente pela massa de matéria de carga positiva, de modo que o átomo permaneça neutro como um todo. O físico britânico Ernest Rutherford (1871-1937) testou tal modelo bombardeando uma finíssima lâmina de ouro com partículas alfa (corpúsculos de carga positiva semelhantes aos do hélio e geralmente emitidos por um átomo maior em processo de decaimento) irradiadas por uma peça de metal radioativo. Se os átomos de ouro estivessem em equilíbrio, não atrairiam nem repeliriam as partículas emitidas pelo metal radioativo, mas seguiriam direto para um anteparo detector. Ele acabou constatando, porém, que isso não acontecia; algumas partículas alfa eram refletidas pela lâmina de ouro.

Em 1911, Rutherford propôs seu próprio modelo atômico: nele, a maior parte do átomo era constituída, proporcionalmente falando, de um imenso espaço vazio, com um minúsculo núcleo denso, de carga positiva, e elétrons girando em torno dele como planetas em volta do Sol.

Apenas dois anos depois, seu modelo foi superado pelo de Niels Bohr, que aplicou os princípios do novo campo da física quântica e achava que elétrons só podiam de fato ocupar certos níveis de energia ou orbitais em torno do núcleo dependendo de quanta energia eles contivessem. Calculou esses níveis com base na força centrífuga gerada pelo movimento do elétron e na atração eletromagnética entre o elétron e o núcleo, procurando verificar a hipótese usando análise espectral.

Depois disso, não demorou muito para que se constatasse que o núcleo era formado, na verdade, por duas partículas: o próton, corpúsculo de carga positiva, e o nêutron, partícula eletricamente neutra. Então, em 1964, cientistas descobriram que esses dois tipos de partículas nucleares eram compostos por partículas ainda menores, denominadas quarks, que se apresentam em seis tipos diferentes: ascendente (*up*), descendente (*down*), superior (*top*), inferior (*bottom*), esquisito (*strange*) e atraente (*charm*). É verdade — nem mesmo um especialista em física quântica conseguiria imaginar algo assim.

NIELS BOHR (1885-1962)

Na escola, a matéria de que Niels Bohr mais gostava era educação física: tanto que, por muito pouco, deixou escapar a oportunidade de fazer parte da seleção de futebol de seu país, a Dinamarca.

Em 1912, Bohr começou a trabalhar na Inglaterra com Ernest Rutherford. Graças a essa gloriosa experiência na área científica, autoridades de seu país criaram em Copenhague, em 1921, depois que ele desenvolveu sua teoria da estrutura atômica, o Instituto de Física Teórica, tornando-o chefe da instituição.

Na Segunda Guerra Mundial, os nazistas invadiram a Dinamarca. Como Bohr tinha certa descendência judaica, em 1943 foi incluído, pela Resistência Dinamarquesa, num programa de transferência em massa, de quase todos os judeus do país, para um refúgio na Suécia. Seus conhecimentos eram muito requisitados por cientistas aliados que trabalhavam no Projeto Manhattan construindo uma bomba atômica. Assim, foi levado para a Grã-Bretanha no compartimento de bombas de um avião de guerra, parte da aeronave adaptada às pressas para transportá-lo. Durante a viagem, o cientista desmaiou porque não colocou a máscara de oxigênio a tempo, e quase morreu.

Bohr foi um dos poucos ganhadores do Prêmio Nobel cujos filhos também receberam a honraria: o filho Aage foi agraciado com o Nobel de Física em 1975.

Estatística de Bose-Einstein: Satyendra Nath Bose

Em 1924, um desconhecido palestrante indiano, Satyendra Nath Bose (1894-1974), teve a publicação de seu estudo "A Lei de Planck e a Hipótese dos Quanta de Luz" rejeitada por um jornal científico. A rejeição o fez tomar uma atitude ousada, enviando seu trabalho diretamente a Albert Einstein (pág. 86), que conseguiu que o estudo fosse publicado imediatamente por uma prestigiada publicação científica. A ajuda do colega transformou Bose, de uma hora para outra, num astro da ciência internacional.

Com o trabalho, Bose propôs um novo método estatístico de medição de partículas subatômicas e, desse modo, uma nova maneira de expressar a fórmula, criada por Max Planck (pág. 83), para descrever a emissão de energia de um corpo negro. O próprio Planck usara a física clássica para inferir sua fórmula original, mas Bose não se valeu dela sob nenhum aspecto. Ao contrário, ele se baseou no conceito de Einstein de que os quanta, ou pequenas porções de luz, se comportam como partículas (fótons) e como ondas energéticas. Assim, Bose propôs que tratássemos a energia emitida por um corpo negro como se ela estivesse em outro estado físico, numa nuvem de fótons semelhantes às partículas presentes em qualquer nuvem de gás. Sugeriu que, em vez de considerarmos cada partícula como um corpúsculo estatisticamente independente, ela fosse analisada estatisticamente como grupos de partículas dentro de espaços definidos denominados células.

Mais tarde conhecido como estatística de Bose-Einstein, o método funcionou e foi uma importante contribuição para o desenvolvimento da nascente ciência da estatística quântica. Ele se aplica somente a partículas subatômicas que podem existir no mesmo quantum ou estado de energia dentro de um átomo simultaneamente e que, desse modo, podem coexistir em grupos. Chamados bósons, tais tipos de partículas são assim designados em homenagem ao trabalho inicial de Bose sobre o comportamento dos corpúsculos, dos quais os fótons fazem parte. Partículas que não podem compartilhar do mesmo estado quântico são denominadas férmions, cujo comportamento é descrito por outro método estatístico.

Mecânica Matricial e o Princípio da Incerteza: Werner Heisenberg

O físico teórico alemão Werner Heisenberg ficou famoso por seu princípio da incerteza, formulado em 1927, com o qual afirma que é possível determinar a posição e o momento linear (velocidade) de uma partícula, mas não ambos ao mesmo tempo. É impossível, portanto, prever com exatidão o caminho ou a posição de uma partícula em dado instante futuro. Assim como acontece com outros fatores da física quântica, esse princípio se aplica apenas a partículas minúsculas, tais como átomos ou componentes atômicos.

Com seu princípio da incerteza, Heisenberg contribuiu para o desenvolvimento de teorias não causais em defesa da natureza indeterminística do universo, já que, no âmbito das partículas subatômicas, a ciência pode apenas sugerir probabilidades, e não certezas. Com essas diretrizes da nova física, a ocorrência de dado fenômeno só pode ser determinada no momento em que o cientista o observa ou mede, fato que "fixa" a probabilidade do fenômeno ou acontecimento. Isso contrariou totalmente os postulados da natureza determinística do universo da física clássica.

Embora alguns cientistas houvessem rejeitado a ideia, esta foi incorporada ao paradigma da física quântica adotado em 1927 sob o nome de Interpretação de Copenhague.

Antes mesmo de ter proposto o princípio da incerteza, ele deixara a marca de sua importante contribuição na física quântica com a invenção da mecânica matricial, a primeira formulação matemática da mecânica quântica. Heisenberg vinha tentando desenvolver uma equação matemática para explicar as linhas espectrais — ou frequências da luz produzidas pelo movimento de uma partícula no interior de um átomo. A fórmula resultante representava o momento e a posição da partícula na forma de uma matriz de coeficientes indicados pelo início e pelo fim dos níveis de energia. Para chegar à fórmula, ele empregou a matemática usual das matrizes, como arranjos de números, com os quais pôde criar depois uma equação.

WERNER HEISENBERG (1901-1976)

Como aconteceu com alguns dos grandes cientistas, na juventude, Heisenberg se destacou como aluno de matemática e física teórica, mas sentia imensa dificuldade para entender física aplicada. Tanto que quase não conseguiu obter o doutorado, pois não era capaz de explicar o funcionamento de uma simples bateria.

Embora fosse cidadão de ascendência alemã, Heisenberg teve problemas com os nazistas por causa de seu trabalho com física quântica, campo do conhecimento considerado por eles uma "ciência judaica", em vez de "ciência ariana", segundo critérios de aprovação. Sua nomeação como professor da Universidade de Munique foi barrada, mas, tempos depois, ainda na Segunda Guerra Mundial, Heisenberg foi incorporado ao grupo de pesquisadores do programa atômico dos nazistas. Como era um dos cientistas alemães mais temidos pelos Aliados — pois poderia desenvolver a devastadora bomba atômica (também chamada nuclear) —, fazia parte da lista de pessoas marcadas para morrer.

Não se sabe ao certo se Werner Heisenberg tentou enganar os nazistas quando declarou que era impossível criar uma bomba atômica. Depois da guerra, trabalhou em prol do uso pacífico da energia atômica e foi um dos fundadores do CERN, organização de pesquisas nucleares pan-europeia.

A Mecânica Ondulatória e o Gato de Schrödinger: Erwin Schrödinger

Em 1925, o físico francês Louis de Broglie (1892-1987) propôs que todas as partículas subatômicas também poderiam ter propriedades ondulatórias. Algumas semanas depois, o austríaco Erwin Schrödinger inventou o conceito de mecânica ondulatória como uma forma de descrever matematicamente esse estranho comportamento. Seu método consistiu em tratar as partículas como ondas tridimensionais, cada uma delas com sua própria função de onda, todas governadas por uma equação diferencial fundamental, conhecida como equação de Schrödinger.

Schrödinger sempre dizia que sua equação diferencial era matematicamente equivalente ao método algébrico de Werner Heisenberg usado na mecânica quântica (pág. 92), afirmação posteriormente comprovada.

Para ilustrar o princípio da incerteza proposto por Heisenberg e demonstrar que a física quântica estava se transformando numa ciência estranha, Schrödinger propôs o talvez mais famoso e paradoxal exercício de raciocínio da história: o "gato de Schrödinger". No experimento imaginário, ele concebeu a ideia de se pôr um gato numa caixa fechada contendo uma porção minúscula de material radioativo que, no espaço de uma hora, tinha uma chance de 50% de se decompor, liberando uma partícula. Se ele se decompusesse, o fenômeno quântico acionaria um mecanismo e mataria o gato. Mas, enquanto não abrisse a caixa, a pessoa não teria como saber se o gato estaria vivo ou morto. Até lá, de acordo com a proposição de Schrödinger, o gato existiria em dois universos: num deles, o animal ainda estaria vivo; no outro, morto. Contudo, somente quando a caixa fosse aberta, ocorreria o colapso da função de onda.

ERWIN SCHRÖDINGER (1887-1961)

Embora tenha nascido em Viena, na Áustria, sua mãe era inglesa. Portanto, ele foi criado num ambiente bilíngue, em que se falavam inglês e alemão. Seus primeiros cargos no mundo acadêmico foram no campo da física experimental, o que, segundo ele, lhe deu uma boa base de conhecimentos nessa área. Ele tinha 39 anos — geralmente, uma idade avançada para físicos teóricos — quando publicou seu primeiro estudo sobre a teoria da mecânica ondulatória.

Mas não gostava da natureza probabilística da nova física que tinha ajudado a criar e, depois de 1926, trabalhou no campo da biologia e no problema ainda não solucionado de uma teoria do campo unificado. Ademais, assim como outros físicos quânticos, sentiu-se atraído por sistemas filosóficos do Oriente.

Schrödinger era um mulherengo e tinha um casamento liberal. Tanto ele quanto a esposa tiveram casos extraconjugais. Chegou a ter filhos com outras mulheres, escandalizando instituições acadêmicas em todo o mundo.

A Bomba Atômica: Leo Szilard e Enrico Fermi

Em 1939, o exilado judeu húngaro Leo Szilard (1898-1964) convenceu Albert Einstein (pág. 87) a enviar uma carta ao presidente Franklin D. Roosevelt insistindo para que os Estados Unidos iniciassem imediatamente esforços para a construção de uma bomba atômica. Szilard viveu sob o regime nazista e tinha certeza de que os alemães não perderiam tempo esperando uma ocasião propícia para tentar desenvolver esse tipo de arma. Com isso, os Estados Unidos, o Reino Unido e o Canadá criaram o Projeto Manhattan, programa ultrassecreto destinado ao desenvolvimento de armas nucleares.

Muitos dos grandes físicos que viviam em terras aliadas durante a Segunda Guerra Mundial foram incorporados ao projeto. Desse grupo, fizeram parte J. Robert Oppenheimer (1904-67), diretor do laboratório do Novo México, e o membro mais jovem da equipe, o brilhante físico Richard Feynman (1918-88).

Szilard pensara pela primeira vez na possibilidade de se produzir energia nuclear de forma controlada em meados da década de 1930, quando imaginou viável uma reação de nêutrons em cadeia, em que o núcleo de certo tipo de átomo fosse forçado a decompor-se ou liberar um nêutron, provocando assim uma série de decaimentos em cadeia, todos eles liberando energia. Szilard passou a pensar depois na possibilidade de fissão atômica, operação que envolve o bombardeio de um átomo de urânio com um nêutron para provocar uma reação em cadeia.

Ele entrou para o Projeto Manhattan em 1942, trabalhando inicialmente na Universidade de Chicago com Enrico Fermi (1901-54), que era especialista em radioatividade e tinha confirmado a existência do neutrino ou pequeno nêutron. Ele participara também de experiências de bombardeamento de átomos com nêutrons. Outros pesquisadores, como Otto Hahn (1879-1968) e Lise Meitner (1878-1968), já haviam conseguido realizar a fissão nuclear.

Em 1942, Fermi e Szilard concluíram o trabalho de construção da primeira pilha atômica ou reator nuclear do mundo e presenciaram a primeira reação nuclear em cadeia. Em seu laboratório, realizaram uma pequena experiência com o máximo de controle, mas, na explosão experimental da bomba, deixaram que a reação em cadeia tivesse livre curso.

O Modelo Padrão e o Bóson de Higgs: Peter Higgs

Houve inúmeros e importantes avanços no meio científico desde a Segunda Guerra Mundial: o uso da energia nuclear para fins pacíficos; o desenvolvimento de tecnologia para o aproveitamento da energia solar; a quebra da barreira do som; a invenção do laser, dos supercondutores, dos transistores... No entanto, no início do século XXI, por mais que se tivesse desvendado a natureza íntima das partículas quânticas, as leis de movimento e gravitação enunciadas por Newton ainda descreviam a realidade física de nosso cotidiano.

Em 1964, o físico britânico Peter Higgs (1929-) e outros pesquisadores propuseram a existência de uma partícula de bóson responsável pelo transporte de massa para a matéria: o bóson de Higgs. Em razão de seu dualismo de partícula-onda na esfera quântica, a partícula de Higgs estaria associada a um campo quântico que, segundo os teóricos, teria sido criado por esses bósons no exato momento do nascimento do universo, quando ocorreu a conversão primordial de energia para matéria. O campo de Higgs explicaria várias anomalias no comportamento de algumas partículas subatômicas, mas também por que as partículas têm massa.

Desde 2011, cientistas vêm fazendo experiências usando o Grande Colisor de Hádrons, o maior acelerador de partículas do mundo, instalado nos laboratórios do CERN, na Suíça, na tentativa de identificar o campo ou o bóson de Higgs. Em 2012, o CERN anunciou, com a devida cautela, que seus cientistas tinham identificado uma partícula que se comportava como a partícula de Higgs, conforme previsto por eles, embora isso não tenha sido inteiramente confirmado.

Talvez ela ainda esteja por aí para ser descoberta, juntamente com a teoria do campo unificado, a partícula bosônica da gravitação e até a pedra dos alquimistas. Todas esperam por um físico que obtenha sucesso nessas pesquisas.

Química: A Descoberta de Elementos e Compostos

A química se ocupa do estudo dos diminutos componentes que estruturam o universo: os elementos químicos, substâncias que não podem ser reduzidas a nenhum outro tipo de matéria. O elemento oxigênio é apenas oxigênio, não contendo em si nenhum outro tipo de substância ou matéria. O ferro contém apenas ferro. Porém, quimicamente combinados, oxigênio e hidrogênio formam água, ao passo que oxigênio, agindo sobre o ferro, gera ferrugem.

A química tem por objetivo o estudo das substâncias básicas da matéria e a análise de suas propriedades individuais e de sua reação a estímulos físicos, bem como a descrição da forma pela qual elas se coligam e tendem a criar novas substâncias.

A história da química envolve antigos filósofos gregos, magos da Idade Média, laboratórios destruídos por explosões, minúsculos átomos e mecânica quântica. Um de seus capítulos mais importantes está relacionado com a criação da tabela periódica, uma forma de organizar os elementos que permite que químicos de qualquer parte do mundo conheçam as propriedades desses componentes com uma consulta simples e rápida. Espécie de evolução da rudimentar lista dos quatro elementos dos antigos, tidos por eles, em seu tempo e até depois, como suficientes para explicar a natureza das coisas, atualmente a tabela periódica relaciona sistematicamente 118 elementos, mas os químicos preveem a descoberta de outros mais, com a continuação das pesquisas sobre as formas de matéria fundamental disseminada pelo universo.

Os Antigos Elementos, a Ciência em seus Primórdios e os Alquimistas: Hipátia

Durante grande parte da história, para a humanidade existiam apenas certos elementos que compunham o mundo físico. Em algumas civilizações antigas, esses elementos somavam cinco ao todo; por exemplo, na Babilônia eram o vento, o fogo, a terra, o mar e o céu; já na China eram a terra, o fogo, a água, o metal e a madeira. Contudo, os quatros elementos clássicos — terra, ar, fogo e água — eram os únicos aceitos como tais nos países do Ocidente, embora o grego Aristóteles (pág. 14) houvesse adicionado um quinto elemento: um componente imutável e cósmico denominado Éter.

Por volta do século III a.C., o centro do saber no mundo clássico começou a se transferir de Atenas para Alexandria, no Egito. Centenas de anos depois, viveu nessa cidade uma das primeiras cientistas do mundo: Hipátia. Como intelectual que era, ela começou a estudar as propriedades dos líquidos. É possível que tenha descoberto que certos tipos de matéria podem assumir diferentes formas e, ainda assim, continuar a ser o que são, como o fato de que, por congelamento, a água pode se transformar em gelo e o ferro, bastante aquecido, liquefazer-se. Mas seria necessário muito tempo para que os cientistas entendessem que é a modificação do arranjo das moléculas de uma substância que determina sua forma ou estado físico.

O conhecimento de Hipátia se restringia a propriedades mais visíveis da matéria, mas se atribui a ela a invenção de um hidrômetro para medir a densidade relativa e o peso dos líquidos.

Enquanto Hipátia fazia observações, testes e invenções, outros em Alexandria faziam a mesma coisa, mas visando a outros objetivos. Dizem que a alquimia surgiu na cidade por volta do século IV, já que o gosto pela magia e pelo ocultismo começou a permear toda a sociedade da época. Os alquimistas se interessavam, principalmente, pela busca do conhecimento de segredos mágicos ou pela transmutação de metais comuns em ouro.

A palavra "química" vem de "alquimia", provavelmente derivada do antigo nome do Egito: Kemet.

Os alquimistas do Oriente Médio e da Europa, sem querer, ajudaram a desenvolver os conhecimentos e as técnicas de manipulação química (de metais, por exemplo), como foi o caso do método do banho-maria, criado pela alquimista Maria, a Judia, e usado até hoje no cozimento de alimentos ou para aquecer aos poucos substâncias "vitais", como o chocolate ou o caramelo.

HIPÁTIA (*c.* 350/370-415)

Filha de um matemático e última chefe da grande Biblioteca de Alexandria, Hipátia era greco-egípcia. Estudou em Atenas e depois voltou para Alexandria, sua terra natal, que então fazia parte do Império Bizantino. Por volta do ano 400, tornou-se professora de filosofia e astronomia. Foi uma neoplatônica de destaque e uma das últimas eruditas da cultura clássica.

Adepta de um costume incomum para a época, Hipátia se recusava a usar roupas femininas tradicionais, preferindo trajar a toga dos mestres.

De acordo com fontes contemporâneas, Hipátia foi assassinada por uma multidão de cristãos, depois de ter sido apontada como culpada por participar de um conflito local.

O Nascimento da Química como Ciência: Robert Boyle

O gosto pela alquimia não se restringiu à Idade Média. O cientista do século XVII Robert Boyle (1627-91) foi, acima de tudo, um alquimista. Apesar disso, atribui-se a ele o crédito de ter sido o primeiro a estabelecer uma distinção entre a alquimia (prática da busca do conhecimento de coisas ocultas e sobrenaturais) e a química (ciência do conhecimento racional das propriedades da matéria e suas possíveis combinações).

Com a publicação, em 1661, de um livro de importância histórica, *O químico cético*, expôs seu método racional para lidar com experiências e condenou superstições, incoerências, crendices excêntricas e práticas da maioria dos alquimistas.

Filho de um conde irlandês, Boyle concentrou a maior parte de suas experiências no conhecimento das propriedades dos gases. Na época, o ar atmosférico era tido como uma substância constituída de um único elemento, e não de uma mistura de gases. Quando soube da então recente invenção de uma bomba de ar feita pelo alemão Otto von Guericke (1602-86), Boyle construiu seu próprio modelo aperfeiçoado, de forma que pudesse criar vácuos ou controlar a quantidade de ar num recipiente. Provou que o ar é necessário à vida e à combustão, o som não se propaga no vácuo e o ar é constantemente elástico. Isso o levou à formulação da lei de Boyle, com a qual enunciou que o volume ocupado por um gás em determinado meio é inversamente proporcional à pressão nele exercida.

Boyle nasceu seis anos após o advogado inglês Sir Francis Bacon (1561-1626) ter publicado sua proposta de adoção de uma metodologia científica. Assim como outros homens da época, o irlandês começou a investigar a visão clássica, predominante então, de que tudo era composto de apenas quatro elementos. A química se achava às portas de uma nova era científica, mas Boyle jamais abandonaria sua crença de ser possível transformar metais inferiores em ouro.

A Revolução da Química: Antoine-Laurent Lavoisier

Já em meados do século XVIII, novas substâncias químicas tinham sido descobertas e catalogadas; o fósforo, por exemplo, por intermédio de um intricado processo de tratamento da urina. Já com métodos menos insalubres, foram descobertos o dióxido de carbono ("ar fixo"), o hidrogênio (tido outrora como o hipotético "flogisto", a essência do fogo), o nitrogênio (antes conhecido como "ar impregnado de flogisto") e novos metais (elementos de fato), como o bário, o molibdênio e o tungstênio. Os cientistas também se aproximavam de uma compreensão maior da natureza dos compostos ou da forma pela qual as substâncias se combinam.

Em 1789, o químico francês Antoine-Laurent Lavoisier publicou uma tabela de elementos, finalmente listando mais do que o clássico quaternário, embora a classificação de alguns de seus 33 elementos estivesse errada. Ademais, trabalhando com outros cientistas, ele desenvolveu um novo sistema de nomenclatura dos elementos químicos, basicamente o mesmo usado hoje para refletir as conhecidas composições das substâncias.

Rico, Lavoisier tinha um laboratório muito bem equipado, onde, embora raramente produzisse algum tipo de trabalho na esfera da química, conseguiu confirmar e tentou explicar ideias de outras pessoas, causando às vezes discussões em torno de primazias, principalmente com o químico britânico Joseph Priestley (1733-1804), sobre a descoberta do oxigênio.

Um dos principais feitos de Lavoisier foi demonstrar a função do oxigênio na combustão, acabando com a teoria de que o hipotético "flogisto", ou o calor existente no ar, era o responsável pelo fenômeno. Lançando mão de cuidadosas medições em recipientes hermeticamente fechados, Lavoisier demonstrou que o "ar deflogisticado", tal como Priestley o denominava, era a substância que se inflamava na atmosfera e a mesma absorvida do ar por resíduos metálicos depois de aquecidos. Ele chamou esse gás de "oxigênio", termo que significa "gerador de ácidos", já que pensou, equivocadamente, que era isso que ele produzia.

Portanto, foi Lavoisier que deu nome ao ar que respiramos e, com sua padronização da nomenclatura dos elementos químicos e sua metodologia, ajudou a revolucionar a química.

ANTOINE-LAURENT LAVOISIER (1743-1794)

Embora aristocrata francês, Lavoisier aprovou as diretrizes políticas racionais do novo regime instalado depois da Revolução Francesa de 1789. Ele permaneceu em Paris, onde se tornou presidente da Academia de Ciências e prosseguiu com seu trabalho na chefia do Arsenal de Paris, empenhando-se em providenciar para que os futuros exércitos revolucionários tivessem autossuficiência em provisões de pólvora.

Contudo, antes da revolução, Lavoisier havia sido "coletor de impostos", cuja licença fora obtida por seu investimento na empresa financeira Ferme Générale, que emprestava dinheiro ao governo e coletava impostos como forma de se ressarcir dos empréstimos. Os coletores de impostos costumavam enriquecer e, por isso, tornavam-se extremamente impopulares.

Quando o Período do Terror começou a ameaçar todos que haviam se beneficiado do Antigo Regime, Lavoisier continuou a acreditar que, como pessoa útil e cientista leal que era, estaria em segurança. Mas se equivocara e, junto com muitos outros coletores de impostos, foi preso. Seu trabalho científico foi brutalmente interrompido pela guilhotina.

Eletroquímica: Humphry Davy

Quando estudou ciências em Bristol, na Inglaterra, Humphry Davy (1778-1829) fez o que muitos estudantes fazem hoje em dia. Uma de suas experiências envolveu testes com a inalação de óxido nitroso ou gás hilariante. Em razão do relatório que apresentou de suas experiências com gases, conquistou o cargo de professor adjunto na Royal Institution, em Londres, onde se tornou popular entre os membros da aristocracia local.

A ciência da eletricidade ainda estava em seus primórdios, e a "pilha" elétrica de Volta tinha acabado de ser inventada (pág. 75). Em 1807, Davy e outros membros da Royal Institution criaram sua própria bateria elétrica com acumuladores de prata-zinco, a bateria mais potente do mundo na época. Davy sabia que a eletricidade podia separar compostos (eletrólise), então aplicou a força elétrica nos "óxidos metálicos" potassa e soda cáustica. Lavoisier (pág. 101) havia relacionado essas substâncias em sua lista de elementos químicos, mas Davy conseguiu provar que eram compostos, visto que, decompondo-os, obteve potássio e sódio, respectivamente.

Davy deu continuidade às suas pesquisas e descobriu o magnésio, o cálcio, o boro e o bário. Provou também que o cloro era um elemento, portanto não havia como decompô-lo, tal como alguns cientistas tinham previsto.

Mas, para o público em geral, Davy ficou famoso como o inventor da lâmpada de segurança usada em minas. A perigosa atividade da mineração envolvia a necessidade de entrar nas minas com lâmpadas com a chama desprotegida, nas quais gases inflamáveis costumam emanar das paredes de seus túneis. Já a chama da lanterna de Davy era protegida por uma tela de metal, impedindo que ela escapasse e acabasse inflamando gases que exalavam das escavações.

A Teoria Atômica: John Dalton

Já na Grécia Antiga, Leucipo e Demócrito haviam proposto uma teoria, relativamente desconhecida na época, segundo a qual o universo era feito de sólidos minúsculos e indivisíveis chamados átomos, palavra derivada do grego que significa indivisível. Na Índia, de acordo com o pensamento budista, a matéria era composta de partículas elementares diminutas. Contudo, no Ocidente, o que predominou, durante milhares de anos, foi a visão aristotélica dos quatros elementos terrenos (pág. 14) de toda a matéria universal, até que um meteorologista inglês começou a estudar a natureza dos gases.

John Dalton (1766-1844) não conseguia se lembrar com exatidão do que o levara a enunciar a teoria de que os gases — e todos os elementos químicos — são formados por átomos (tendo adotado ele o termo grego), partículas minúsculas, indivisíveis na preservação de suas propriedades intrínsecas, caracterizadoras de cada um dos elementos e distinguíveis por seus pesos específicos relativos. Ele chegou à conclusão de que os compostos químicos são formados quando átomos de diferentes elementos se combinam e de que ocorrem reações químicas quando os átomos se reordenam na intimidade da própria estrutura. Por fim, promulgou a ideia de que átomos não podem ser fabricados ou destruídos.

Dalton acreditava que poderia provar sua teoria, já que, como um recipiente contendo hidrogênio pesava menos que um contendo oxigênio, suas unidades materiais básicas deviam ser diferentes. Concluiu também que, como gases diferentes se dispersavam sempre que misturados, permanecendo na condição de entidades distintas e independentes, eles só podiam ser compostos por unidades materiais básicas singulares, de mesma natureza. Numa experiência em que definiu o hidrogênio, o gás mais leve que existe, como 1, ele tentou descobrir os pesos atômicos de outros gases em relação a esse elemento, procurando verificar como combinavam com uma massa fixa de hidrogênio.

O cientista inglês propôs que os átomos se agrupam em moléculas (palavra recém-criada então para designar partículas pequeníssimas). Propôs também que os elementos se combinam em proporções fixas, como é o caso do carbono e do oxigênio, numa relação de 1:1 para formar o monóxido de carbono, e de 1:2 para compor o dióxido de carbono. Contudo, Dalton se equivocou com relação a uma dessas proporções: achava que a água era a combinação de hidrogênio e oxigênio na proporção de 1:1. O francês Louis Joseph Gay-Lussac (1778-1850) corrigiu isso, enunciando que a relação era de 2:1, abrindo assim as comportas para o estudo químico dos compostos de oxigênio.

Embora, hoje em dia, a teoria atômica esteja interligada à física de partículas, enquanto o trabalho de Dalton era voltado para a química, ela demonstrou que as duas ciências se correlacionam, formando uma base para muitas integrações interdisciplinares, tais como as que podemos ver entre a eletroquímica, a radioatividade, a física nuclear e a química quântica.

Isomerismo e Química Orgânica: Justus von Liebig

Poderiam substâncias com fórmulas moleculares semelhantes, ou seja, combinações atômicas similares, apresentarem comportamentos e propriedades diferentes? Em 1827, embora realizando estudos independentes entre si, os químicos alemães Justus von Liebig e Friedrich Wöhler (1800-82) descobriram que isso era possível — se suas moléculas se estruturassem de modos distintos. Constataram que até pequenas modificações no âmbito molecular podem resultar em alterações em suas propriedades em larga escala. Eles haviam descoberto os isômeros, termo cunhado por Jöns Jakob Berzelius (1779-1848) em 1830. Aliás, ele foi o químico suíço que criou o sistema de escrita latina dos símbolos químicos (por exemplo, Fe para designar o ferro, palavra proveniente do termo em latim *ferrum*).

Isômeros podem ter diferentes ligações dentro da molécula ou até mesmo ser cópias exatas uns dos outros. Hoje em dia, são muito comuns na química medicinal. Por exemplo, a fentermina é um supressor de apetite, mas basta reordenarmos seus átomos para obtermos o forte estimulante dextrometanfetamina.

Liebig abandonou seu interesse inicial por química orgânica, o estudo de moléculas contendo carbono, em prol das pesquisas na esfera da química aplicada, principalmente no que se refere ao emprego dessa ciência na produção de alimentos na agricultura e na nutrição. Em 1838, escreveu: "A produção de todo tipo de substâncias orgânicas não é mais um atributo somente dos organismos vivos. Devemos ver não apenas como uma possibilidade, mas como certeza, a ideia de que [um dia] as produziremos em nossos laboratórios."

O próprio Von Liebig confirmou suas palavras, produzindo uma espécie de concentrado de carne barato. Pesquisou também, por meio de análises de solos, a forma mais eficiente de fertilização agrícola e produziu seus próprios adubos. Com tal esforço, acabou provando também que o teor de carbono da planta origina-se não de material vegetal em decomposição ou húmus, mas de fotossíntese.

Em 1908, outro alemão, Fritz Haber (1868-1934), inventou um processo para extrair nitrogênio do ar e transformá-lo em fertilizante. E não parou por aí: inventou armas químicas, a fim de empregá-las na Primeira Guerra Mundial.

JUSTUS VON LIEBIG (1803-1873)

Liebig nasceu em Darmstadt, na Alemanha, onde o pai, fabricante de produtos químicos, possuía uma loja e um laboratório, o qual era muito importante para seu jovem filho, já que o garoto ali podia fazer experiências. Além de ter causado uma explosão na escola, o jovem Liebig acabou provocando danos estruturais na própria casa. Portanto, a decisão de seus pais de tornar o filho aprendiz de farmacêutico pode ter sido uma providência não só para incentivar a carreira do garoto, mas também para manter a casa de pé.

Liebig tornou-se professor da Universidade de Giessen quando tinha apenas 21 anos. Era um professor radical, insistindo em afirmar que a química deveria ser um campo de conhecimento independente, e não apenas parte do estudo da área farmacêutica. Talvez porque se lembrasse bem dos próprios acidentes, incentivava também a prática de experiências de laboratório seguras e controladas. Seus métodos se tornaram modelos no mundo inteiro.

A Lei da Substituição: Jean-Baptiste Dumas

No início do século XIX, a teoria da estrutura molecular dava conta de que todos os compostos químicos eram positivos ou negativos, e que combinações químicas entre eles resultavam da atração dos opostos. Essa teoria "dualista" foi defendida principalmente por Jöns Jacob Berzelius.

Mas o político e professor francês Jean-Baptiste Dumas (1800-84) descobriu que velas acesas, branqueadas com cloro em seu processo de fabricação, produziam fumaça impregnada de cloreto de hidrogênio e concluiu que, "durante o branqueamento, o hidrogênio presente no hidrocarboneto do óleo de terebintina era substituído por cloro". Ele havia demonstrado que, em certas circunstâncias, era possível substituir os átomos de hidrogênio (eletropositivos) por átomos de cloro ou oxigênio (eletronegativos) sem que ocorresse qualquer modificação estrutural substancial.

Berzelius e outros cientistas, incluindo Justus von Liebig (pág. 107), disputaram o crédito por tais descobertas com tanta veemência que Dumas desistiu de lutar pela honraria. Todavia, depois de muitos anos, sua teoria acabou suplantando a de Berzelius.

Menos polêmico foi seu trabalho de identificação dos elementos de compostos como o uretano e o metanol por um processo de destilação de madeira. Ademais, aperfeiçoou métodos de medição da densidade de vapores verificando a massa, a temperatura, o volume e a pressão de uma substância no estado de vapor. Isso levou direto ao conhecimento de pesos atômicos mais precisos para 30 elementos, metade do total conhecido na época.

Dumas foi pioneiro no estudo da química orgânica e, assim como Liebig, um dos primeiros professores a insistir na ideia de que laboratórios e experiências deveriam ser rigorosamente científicos. Contudo, apesar de todos os seus feitos, não conseguiu evitar rebaixar-se da importância de seu cargo na Academia de Ciências e prejudicou a carreira de jovens químicos, temeroso de que ameaçassem sua reputação.

O Bico de Bunsen: Robert Wilhelm Bunsen

Embora o alemão Robert Wilhelm Bunsen (1811-99) tenha feito várias descobertas e invenções, ele é conhecido principalmente pela criação do queimador de gás que leva seu nome. Bunsen produziu o aparelho em 1855, baseando-se num modelo desenvolvido por Michael Faraday (pág. 79), e transformou a prática da ciência química.

Sua motivação e inspiração foram as condições precárias de seu laboratório mal-equipado, onde usava um gás potencialmente tóxico.

Bunsen precisava de um tipo de gás confiável, que lhe proporcionasse bastante luz e calor, e assim criou um queimador com entradas de ar na parte inferior, permitindo que o gás e o ar se misturassem antes da ignição e fosse capaz de produzir uma chama alta. Em seu invento, o fluxo de ar podia ser aumentado para gerar uma chama limpa, intensa e azul, apropriada para uso com tubos de ensaio.

Visto que a chama azul dos bicos de Bunsen não interferiam muito nas cores dos elementos em combustão, o instrumento contribuiu para a nascente ciência da espectroscopia, o estudo das cores ou do espectro da luz produzida pelas chamas de diferentes elementos em combustão. Bunsen e Gustav Kirchhoff (1824-87), usando esse instrumento de análise, acabaram identificando um novo metal alcalino: o césio.

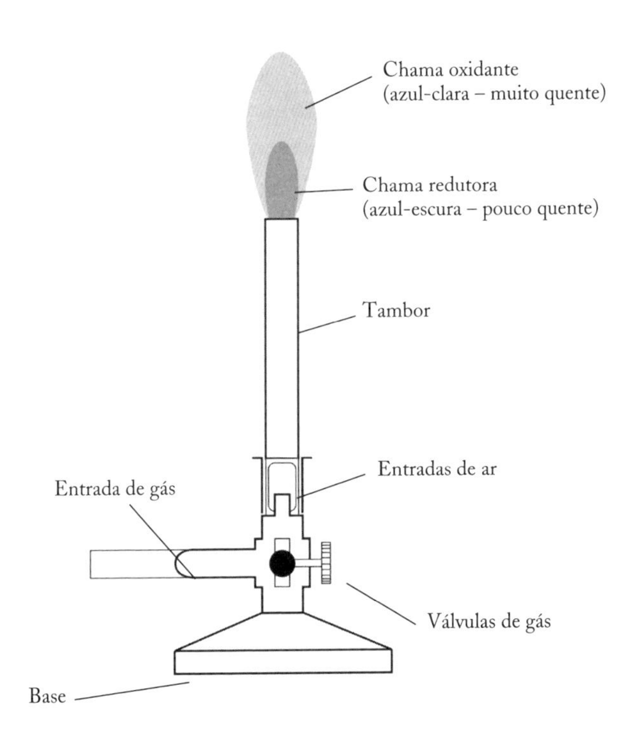

O bico de Bunsen.

A Tabela Periódica: Dmitri Mendeleev

A tabela periódica é o coração da química. Com todos os elementos conhecidos classificados de forma que apresentem suas propriedades básicas e os grupos a que pertencem, é um diagrama que pode ser facilmente consultado por químicos de qualquer parte do mundo.

O russo Dmitri Mendeleev não foi o primeiro a tentar catalogar os elementos químicos conhecidos. Outros, principalmente o químico inglês John Newlands (1837-98), notaram a existência de um padrão nas propriedades dos elementos. Newlands propôs então a "lei das oitavas", já que parecia que suas propriedades se enquadravam em oito grupos diferentes, nos quais cada oitavo elemento iniciava uma nova linha na tabela.

A classificação periódica básica de Mendeleev é feita por ordem de número atômico — o número de prótons no núcleo do átomo. Ele acrescentou a variável de valência. Esta determina a capacidade de um átomo de combinar-se com outro e relaciona-se com o número de elétrons presentes em sua órbita e que, portanto, podem participar de combinações, correspondendo aquela, grosso modo, ao número atômico do elemento. Elementos com valências iguais figuram alinhados um embaixo do outro na tabela, num padrão periódico, formando agrupamentos verticais. Por exemplo, os gases nobres são agrupados numa coluna, tal como os halogênios. Portanto, na tabela de Mendeleev, as séries ou períodos são as linhas horizontais, ao passo que as verticais (colunas) são formadas por grupos de elementos conhecidos que apresentam propriedades semelhantes. Mas é importante notar, conforme ele mesmo propôs de forma convincente — e acertadamente —, que sua tabela apresentava lacunas, simbolizando elementos ainda desconhecidos.

A tabela de Mendeleev funcionava, ainda que ninguém, na época, soubesse exatamente por quê. Na verdade, os padrões periódicos que observara então são explicados hoje pelo número de elétrons presentes na camada mais externa do átomo.

DMITRI MENDELEEV (1834-1907)

Nascido numa pequena cidade da Rússia siberiana, Mendeleev era o caçula de quatorze filhos de um professor, embora, de acordo com certas fontes, o número exato varie. Aos 14 anos, foi para São Petersburgo objetivando dar continuidade aos seus estudos. Foi lá que passou a maior parte da vida e onde obteve seu primeiro diploma, em 1864.

Contemplado com uma bolsa, passou dois anos no exterior, estudando na Universidade de Heidelberg, mas, em vez de estabelecer estreitos vínculos acadêmicos com os outros químicos da instituição, entre os quais Robert Bunsen (pág. 108), Mendeleev preferiu montar o próprio laboratório em seu apartamento.

Em 1860, participou da Conferência Internacional de Química, organizada em Karlsruhe, na Alemanha, onde entrou em contato com novas ideias sobre pesos atômicos, informação que o ajudou a esclarecer a questão da melhor forma de organizar os elementos químicos.

Mecânica Estatística e Termodinâmica: Josiah Willard Gibbs

No início da década de 1870, a físico-química era um campo do conhecimento que se resumia apenas a observações isoladas e fatos. Era uma esfera da ciência voltada para o estudo de sistemas químicos pelo prisma das leis da física, com a aplicação de conceitos e princípios, como os de energia, força e movimento. Esse estudo incluía a análise da velocidade de reações químicas por meio da cinética (estudo dos movimentos e suas causas) ou das forças que agem sobre os materiais que afetam sua resistência à tensão, ou sua plasticidade.

A disciplina começou a sofrer transformações em 1875-8, com a publicação de uma obra (*paper*) de 300 páginas intitulada *Sobre o equilíbrio das substâncias heterogêneas*, do matemático e físico americano Josiah Willard Gibbs (1839-1903). Expondo 700 equações matemáticas, o autor reuniu e explicou descobertas na área da físico-química, mas também propôs suas próprias ideias. Ele achava que a termodinâmica — o estudo das relações entre calor e temperatura, energia e trabalho — poderia ser útil na investigação e na explicação de estados químicos.

Teórico por excelência, Gibbs, junto com James Clerk Maxwell (pág. 80) e Ludwig Boltzmann (1844-1906), criou a mecânica estatística, expressão cunhada por ele para explicar a termodinâmica como consequência das propriedades estatísticas de grandes aglomerados de partículas. Gibbs também usava a mecânica estatística para analisar substâncias e reações químicas.

Ele introduziu o conceito de potencial químico, que é a taxa de aumento da energia interna de um sistema de acordo com o aumento do número de suas moléculas, e enunciou o conceito de energia livre, uma grandeza do estado termodinâmico.

Seu trabalho era de difícil compreensão, até por outros teóricos. Tanto que, depois da morte prematura de Maxwell, em 1879, começou a circular nos Estados Unidos uma piada em que se dizia que existia apenas um homem capaz de entender Gibbs, mas agora ele estava morto.

Bioquímica e a Síntese de Compostos: Emil Fischer

O especialista em química orgânica alemão Emil Fischer (1852-1919) realizou muitas descobertas importantes sobre as estruturas de açúcares e proteínas, bem como sobre a natureza das purinas (certos compostos que têm uma base química em comum). As descrições de carboidratos e aminoácidos apresentadas por ele ajudaram a criar a disciplina da bioquímica.

Os estudos de Fischer sobre purinas duraram dezessete anos e tiveram início em 1882, quando provou que vários compostos naturais, aparentemente sem nenhuma ligação, eram quimicamente correlatos. Demonstrou que algumas dessas substâncias eram de origem animal, tais como o ácido úrico, enquanto outras, incluindo a cafeína e a teobromina (encontrada em chocolates), provinham de plantas. No entanto, todas tinham em comum um grupo de "cinco átomos de carbono e quatro de nitrogênio, de tal modo organizados que formam dois grupos cíclicos com dois átomos em comum". Ele chamou esse elo de "purina" e descobriu que todas as purinas podiam derivar-se umas das outras.

Fischer vivia ansioso com a possibilidade de conseguir sintetizar compostos, processo que ele esperava que, além de provar sua estrutura, servisse para fornecer produtos médicos ou até alimentos baratos. A produção de barbitúricos foi um dos resultados de seu trabalho. Fischer conseguiu sintetizar várias purinas e, após estudos sobre açúcares, sintetizou glicose e frutose. Descobriu que a atividade das enzimas é determinada por estruturas moleculares, e não pelo conteúdo da substância. Entendeu isso quando descobriu que enzimas de leveduras (proteínas naturais que aceleram transformações químicas, mas permanecem inalteradas) apenas se alimentam de isômeros de açúcar de certos feitios.

O químico alemão sintetizou também diversos aminoácidos e descobriu a cadeia que mantinha esses tipos de compostos coligados. Em suma, o conjunto da obra de Fischer contribuiu muito para o avanço das pesquisas fisiológicas. Infelizmente, suas pesquisas pioneiras sobre fenilidrazina para a obtenção do doutorado podem ter sido a causa do câncer de que padeceu, embora o químico sofresse também de intoxicação por mercúrio. Afinal, em seus primeiros anos, o campo da química era um trabalho perigoso.

Os Gases Nobres: William Ramsay

No século XIX, elementos químicos — de gases a metais — estavam sendo descobertos rapidamente, bem como determinada a classe de substâncias a que pertenciam. Todavia, na década de 1890, químicos conseguiram isolar um grupo de gases que pareciam não se combinar quimicamente com outras substâncias. Uma vez que esses gases tinham valência nula, parecia não haver lugar para eles na tabela de classificação periódica. Eram "nobres" demais para se misturarem com elementos químicos comuns.

As primeiras amostras desses gases foram coletadas pelo escocês William Ramsay (1852-1916) nos anos 1890. Junto com o inglês Lorde Rayleigh, ele descobriu o argônio quando os dois constataram que a densidade do nitrogênio colhido da atmosfera não correspondia à do nitrogênio produzido por reações químicas. Depois que isolaram todos os gases conhecidos, descobriram a existência de uma quantidade minúscula de um novo elemento a que chamaram de argônio, termo oriundo da palavra grega que significa "preguiçoso", visto que parecia que ele não se manifestava.

Em 1898, Ramsay descobriu a existência de gases ainda mais raros dessa mesma família — o neônio, o criptônio e o xenônio — por meio de um processo em que, primeiro, ele e o colega liquefizeram ar atmosférico, ferveram-no e depois coletaram amostras de cada um dos gases liberados pela evaporação. Além do hélio, descoberto por Ramsay em 1895, e do radônio, identificado em 1900, esses gases são quimicamente inertes — não reagem com outros elementos. Mas os químicos acabaram encontrando um lugar para eles na tabela periódica, no oitavo grupo de elementos.

Em determinadas circunstâncias, os gases nobres podem produzir intensas luzes coloridas, característica que atualmente faz do raro neônio um gás mais conhecido do que muitos elementos químicos comuns.

Energia Livre e Ligações Covalentes: Gilbert N. Lewis

Nos vinte anos subsequentes àquele em que Josiah Willard Gibbs (pág. 111) formulara a teoria da termodinâmica química, houve poucos trabalhos práticos no campo da físico-química — talvez porque Gibbs fosse muito difícil de entender!

O americano Gilbert N. Lewis (1875-1946) tentou suprir essa falta de novos avanços medindo os desconhecidos valores de energia livre de reagentes, que variam de acordo com o estado termodinâmico. Ele também fez experiências para descobrir a melhor forma de medir a entropia (quantidade de energia) de um sistema. Seu trabalho ajudou a prever se reações químicas ocorreriam, se completariam ou se alcançariam um estado de equilíbrio.

Lewis deu outra importante contribuição à ciência formulando a tese de que os elementos se coligam às partículas de valência dos átomos (número de elétrons em sua camada mais externa). Formulou tal conceito em 1902, quando físicos estavam começando a entender que os elétrons se distribuíam de acordo com ordenações específicas ao redor do núcleo atômico. Imaginou um átomo na forma de cubo com um espaço para elétrons em todos os cantos do sólido geométrico e propôs que ligações químicas se formam quando átomos efetuam a troca de elétrons entre si, de modo que cada um passe a ter a ordenação ideal de cantos preenchidos. Ele continuou a aperfeiçoar seus conceitos e, em 1916, propôs que as ligações químicas se estabelecem quando, na verdade, os átomos compartilham elétrons. Mais tarde, essa descoberta foi denominada ligação covalente. Lewis chamou de "molécula livre" o grupo de átomos que não compartilhava elétrons com outros átomos ou grupo de átomos. Atualmente chamamos de "radicais livres" e os combatemos com antioxidantes.

Ligações Químicas e Estruturas Proteicas: Linus Pauling

O americano Linus Pauling, um dos químicos mais importantes do século XX, começou a estudar a natureza das ligações químicas na década de 1920, quase sempre se utilizando dos conceitos da mecânica quântica. Tal como muitos químicos modernos, empregou técnicas desenvolvidas pela física. Entre suas descobertas revolucionárias está a constatação de que, às vezes, dentro de moléculas de compostos, os orbitais eletrônicos (pág. 90) são híbridos, ou combinados. Demonstrou também que ligações iônicas, em que ocorre a troca de elétrons entre átomos, são casos extremos na fenomenologia química, tal como acontece nas ligações covalentes, em que se dá o compartilhamento de elétrons. Mais tarde, em 1949, ele e sua equipe de pesquisadores identificaram a causa da anemia falciforme (pág. 168).

Na década de 1950, Pauling passou a concentrar seus esforços na identificação da estrutura das moléculas de proteínas. Como estas são estruturas grandes, frágeis e complexas, o químico usou um método próprio de representação estrutural, procurando primeiramente aprender sobre as estruturas dos componentes das moléculas — neste caso, aminoácidos —, investigando depois a forma pela qual eles se ligam e, por fim, construindo um modelo para testar suas descobertas.

Em estudos posteriores, lançando mão de novas técnicas, analisou moléculas de proteínas utilizando difração de raios X, na qual a substância espalha os raios nela incidentes e o resultante padrão de difração fornece informações sobre a configuração estrutural dos átomos.

Pauling e sua equipe formularam uma teoria segundo a qual aminoácidos se coligam apenas pelas extremidades, formando uma estrutura rígida, e conseguiu identificar sua estrutura helicoidal tridimensional — a alfa-hélice —, um componente da maioria das proteínas.

Já em sua tentativa de apresentar um modelo preciso da estrutura do DNA, ele não obteve tanto sucesso, visto que, neste caso também, propôs que o composto tinha uma hélice ou espiral tripla — o DNA só tem duas.

LINUS PAULING (1901-1994)

Nascido em Portland, no Oregon, Estados Unidos, Pauling encantou-se com a química aos 14 anos, numa ocasião em que presenciou impressionantes demonstrações de reações químicas feitas por um amigo, usando um estojo de apetrechos químicos de brinquedo. Entusiasmado, montou seu próprio laboratório no porão de casa e, em 1917, iniciou o curso de engenharia química na Faculdade de Agricultura do Oregon (atual Universidade Estadual do Oregon). Pouco depois, enquanto ainda era aluno de graduação, solicitaram a ele que desse aulas a outros colegas do curso, de tão avançado que era seu conhecimento do assunto.

Na década de 1930, Pauling começou a concentrar-se no estudo da estrutura de grandes moléculas (as que existem nos seres vivos) e, em 1954, ganhou o Prêmio Nobel de Química. A partir da década de 1960, passou a dedicar mais de seu tempo ao ativismo pacifista, lançando apelos ao mundo científico para que apoiasse o fim dos testes nucleares. Em 1963, ganhou o Prêmio Nobel da Paz, tornando-se o único químico a ser agraciado duas vezes com tal honraria.

Química Orgânica Sintética: Elias James Corey

Ramo da química que muito se beneficiou do trabalho de Emil Fischer (pág. 112) e de outros, a síntese orgânica consiste na produção, por meio de processos químicos, de compostos orgânicos complexos, utilizando-se de substâncias básicas simples, conhecidas na disciplina pelo jargão "materiais de partida". É grande a variedade de materiais sintéticos que ela produziu ao longo dos anos, tais como náilon, plásticos, tintas, pesticidas, além de inúmeros produtos farmacêuticos.

A forma tradicional de se produzir a síntese de moléculas orgânicas complexas (denominadas "moléculas-alvo") era iniciar o processo utilizando substâncias simples, de fácil obtenção, e depois empreender várias tentativas de combiná-las, por intermédio de uma série de reações químicas, para formar o produto final, ou molécula-alvo. Muitas vezes, os químicos tinham dificuldade de explicar com precisão por que haviam chegado à escolha dos materiais de partida ou ao processo das reações em cadeia. Na década de 1960, o americano Elias James Corey (1928-), professor de química da Universidade de Harvard, concluindo que era necessário adotar uma metodologia mais bem-planejada e estruturada, desenvolveu os princípios da análise retrossintética.

É uma técnica que envolve um processo de síntese lógico e sistemático, iniciado com a molécula-alvo, submetendo-a a uma análise para saber como é possível decompô-la em subunidades moleculares menores. Em seguida, estas também são decompostas até que o analista chegue aos materiais de partida, ou substâncias básicas, que as compõem. Após esse processo de decomposição nos moldes da engenharia reversa, é possível reconstruir o produto molecular final de forma simples, rápida e eficiente. Cada passo do processo é gravado e reversível.

Com tal metodologia passível de amplas aplicações, o grupo de pesquisadores de Corey conseguiu sintetizar mais de 100 produtos, principalmente substâncias farmacêuticas, entre as quais podemos citar as prostaglandinas e outras substâncias semelhantes aos hormônios usados para induzir o parto, tratar coágulos sanguíneos, alergias e infecções, bem como para controlar a pressão sanguínea. Algumas ocorrem na natureza apenas em pequenas quantidades, mas, graças à análise retrossintética, estão presentes agora nas prateleiras de hospitais e farmácias do mundo inteiro.

Femtoquímica: Ahmed H. Zewail

As reações químicas ocorrem tão rapidamente que só podem ser expressas matematicamente em frações de segundo, unidade de medida conhecida como femtossegundo. Um femtossegundo tem apenas 0,000000000000001 segundo, ou 10^{-15}. Durante o estado de transição de uma reação química, os átomos de uma molécula se movem com extrema rapidez, levando menos de 100 femtossegundos para se reordenarem.

Na década de 1970, a maioria dos cientistas achava que nunca seria possível observar o que realmente acontece durante uma reação química. No entanto, em seu trabalho no Instituto de Tecnologia da Califórnia, o egípcio naturalizado americano Ahmed Zewail (1946-2016) percebeu que lasers de pulsos ultracurtos — tecnologia recém-desenvolvida na época — poderiam ser usados como uma espécie de "câmera fotográfica" velocíssima, e eram supervaliosos para a química. Esses lasers são capazes de produzir feixes de luz com a duração de apenas alguns femtossegundos. Assim, na década de 1980,

Zewail iniciou experiências com esses aparelhos, aplicando seus raios em dada substância, para desencadear uma reação química e gravar as modificações resultantes.

Zewail acabou desenvolvendo um processo que envolvia a mistura de moléculas num tubo a vácuo, sobre as quais fazia incidir o feixe de um laser de pulsos ultracurtos. O primeiro feixe de luz energiza as substâncias químicas, desencadeando a reação, e depois feixes de luz subsequentes gravam os padrões ou espectros de luz resultantes emitidos pela molécula. Essas informações são analisadas depois para verificar como as moléculas se modificam estruturalmente.

Para os químicos, isso foi tão revolucionário quanto observar ligações químicas sendo rompidas e depois restabelecidas. Afinal, em vez de apenas imaginar o que acontecia a átomos e moléculas, agora eles podiam "ver" reações químicas e, assim, planejar experiências com mais facilidade e prever resultados.

A técnica desenvolvida por Zewail ficou conhecida como espectroscopia de femtossegundo ou espectroscopia ultrarrápida, e o conjunto de seu trabalho estreou um novo campo da físico-química denominado femtoquímica. Esta se presta a importantes aplicações em áreas que vão do desenvolvimento de medicamentos à criação de componentes eletrônicos. Zewail a chamou também de "avanço supremo na corrida contra o tempo".

De fato, é evidente que os recursos de investigação científica da física são uma importante parte do futuro da química, cujo solo, fecundado com novas técnicas, frutificarão desde possibilidades de criação de novas estruturas a partir da água à capacidade de fabricação de nanotubos de silício. A tabela periódica ainda não está completa, e muitos novos compostos aguardam a conjuntura tecnológica propícia ao advento de sua síntese. Os alquimistas do futuro terão ainda pela frente um vasto campo para aplicar a magia de sua ciência.

Biologia: As Características da Vida na Terra

A vida na Terra é muito diversificada, seja no que se refere aos animais de grande porte, às árvores centenárias até microrganismos invisíveis a olho nu. No entanto, todos os seres vivos se assemelham quanto a certos processos vitais. Graças ao conjunto de reações denominado metabolismo, todos passam por transformações químicas e físicas — fenômeno orgânico que consiste no processamento interno de alimentos para a produção da energia necessária ao crescimento e à reprodução.

Civilizações antigas foram capazes de identificar animais e plantas úteis, bem como as que deveriam temer ou que eram impróprias para consumo. Com isso, formularam as primeiras classificações de seres vivos. Os chamados herbolários acumularam conhecimento dos usos medicinais de plantas, enquanto os anatomistas, por meio de dissecações e observações, começaram a entender o funcionamento dos corpos dos seres humanos e dos animais.

No século XV, exploradores europeus, quando chegaram ao Novo Mundo, descobriram uma diversidade de espécies que nunca tinham visto antes, e o advento do microscópio, no século XVI, revelou a existência de microrganismos e do componente básico da vida: a célula. Sistemas de classificação biológica de plantas e animais tornaram-se cada vez mais complexos, até que, no século XVIII, o cientista sueco

Carolus Linnaeus descobriu uma forma de classificação universal simples, que formou a base da taxionomia atual.

A moderna biologia teve início com Charles Darwin e sua teoria da evolução biológica pela seleção natural das espécies, tese em que propõe a questão do surgimento e desaparecimento de características biológicas nos organismos vivos em seu processo evolutivo. Seus estudos levaram ao nascimento da genética, bem como ao advento dos campos da biologia celular e molecular, os quais, por sua vez, prepararam o terreno para o desenvolvimento de processos de controle biológico pelo homem para ajudar no progresso da indústria e da medicina. A proliferação de áreas de pesquisas na esfera das ciências biológicas serve para mostrar o avanço a que essa disciplina chegou desde os primeiros estudos no campo das ciências naturais.

A Classificação dos Seres Vivos: Aristóteles

Embora seja mais conhecido como filósofo, o erudito grego Aristóteles (pág. 13) se interessava por todos os aspectos do mundo natural e por isso é considerado o primeiro grande biólogo do mundo. Tido também como um dos primeiros empíricos de todos os tempos, foi um observador minucioso, relacionando uma enorme quantidade de dados sobre o comportamento e a estrutura de plantas e animais, e classificando mais de 500 espécies diferentes — trabalho a que seu aluno Teofrasto (*c.* 371-*c.* 287) deu prosseguimento.

Aristóteles ensinava que cada espécie animal havia sido criada com um objetivo específico, e que as espécies eram "fixas" e imutáveis, visão que prevaleceria até o advento da teoria da evolução de Darwin, publicada em 1859. A maior contribuição aristotélica ao campo do conhecimento foi a criação de um sistema de classificação dos seres vivos. Ele agrupou todos os organismos vivos conhecidos em dois tipos principais: plantas e animais. Os últimos se dividiam em três grupos, de acordo com o lugar em que viviam: terra, água ou ar. O sábio grego estabeleceu também a distinção entre invertebrados e vertebrados, denominados por ele, respectivamente, animais "com sangue" e "sem sangue". Os animais "com sangue", por sua vez, foram subdivididos segundo a forma pela qual se reproduziam em: vivíparos (mamíferos) e ovíparos (pássaros e peixes). Os animais "sem sangue" eram os insetos, os crustáceos e os testáceos (moluscos).

Além disso, Aristóteles introduziu um sistema de nomenclatura binominal, dando dois nomes a cada organismo: um genérico ou de família (o de gênero) e uma denominação com que distinguia diferentes membros da família por alguma característica singular.

O sistema de Aristóteles prevaleceu por dois mil anos e formou a base do sistema taxonômico de Linnaeus, criado no século XVIII, embora ainda contendo falhas. Por exemplo, as rãs nascem com guelras e vivem na água, entretanto, uma vez que respiram por meio de pulmões quando adultas, enquadram-se em duas categorias em sua classificação: seres "aquáticos" e "terrestres". Em alguns casos, as suas deduções eram equivocadas, incluindo a conclusão de que as moscas são geradas espontaneamente por massas de esterco.

Muitos estudiosos do Ocidente acreditavam na Grande Cadeia dos Seres ou Escada da Natureza, princípio derivado dos conceitos de classificação hierárquica de Aristóteles e Platão. Deus ocupava o degrau superior na escala de perfeição, em companhia dos anjos, seguido por reis e homens. Logo abaixo, vinham os animais, enquanto plantas e minerais ficavam nos degraus inferiores. Essa hierarquia, que se acreditava ter sido instituída por Deus, foi aceita até quase o fim da Idade Média.

A Natureza Vista pelo Microscópio: Antonie van Leeuwenhoek

Na Europa do século XVII, quando Antonie van Leeuwenhoek descobriu o mundo microscópico, a ciência passou por uma verdadeira revolução.

Leeuwenhoek era um fabricante holandês de lentes que produzira mais de 500 microscópios e tornara-se o primeiro microbiologista do mundo. Seus microscópios consistiam apenas de potentes lentes de aumento, muito diferentes dos modernos, com lentes compostas ou múltiplas. No entanto, eram capazes de aumentar o objeto 300 vezes, enquanto os instrumentos de outros fabricantes da época só conseguiam ampliar 30 vezes o tamanho natural dos materiais sob exame.

As lentes monoculares do aparelho de Leeuwenhoek ficavam entre duas placas de metal aparafusadas, situadas entre 8 e 10 centímetros acima da base do instrumento. Ele manteve algumas de suas técnicas em segredo, mas pode ter usado as propriedades das esferas para melhorar a qualidade das imagens, talvez encerrando os espécimes alvos de seus exames em gotículas esféricas de um fluido qualquer.

Sempre movido pela curiosidade de observar tudo que pudesse ser posto sob as lentes de um microscópio, examinou tecidos de plantas e animais, insetos, fósseis e até cristais. Como resultado, tornou-se o primeiro a descrever muitos aspectos da vida e seres microscópicos, tais como os espermatozoides. Suas descobertas invalidaram a crença generalizada de que diminutas formas de vida poderiam gerar-se espontaneamente de matéria morta ou putrefaciente, como pulgas, supostamente nascidas de acúmulos de terra ou poeira, ou ácaros-da-farinha, presentes em trigo estragado. Demonstrou também que essas minúsculas criaturas têm o mesmo ciclo de vida dos insetos maiores.

Uma de suas grandes descobertas foi a da existência de organismos unicelulares. Em 1674, o microbiólogo escreveu acerca de suas constatações referentes a uma poça de água estagnada: “Observei ali a presença de diversas partículas terrosas, bem como alguns filamentos com estruturas espiraladas verdes [...] A circunferência de uma dessas espirais tinha mais ou menos a espessura de um fio de cabelo humano.” Com isso, ele havia descoberto a espirogira. A Royal Society de Londres achou seu relatório tão incrível que lhe enviou uma comissão especial, formada por um padre, médicos e advogados, com o objetivo de analisar seus estudos, e, em 1680, as observações de Leeuwenhoek foram plenamente confirmadas.

Leeuwenhoek descobriu a existência de bactérias, fato que o levou a cunhar a palavra “animálculo” (animal diminuto) para designar muitas das minúsculas criaturas que observava: “Havia ínfimos seres vivos, grande parte deles se movendo graciosamente. Os maiores [...] apresentavam um movimento muito vigoroso e rápido, e atravessavam velozmente a água (ou a saliva), como se fossem peixes."

ANTONIE VAN LEEUWENHOEK (1632-1723)

Na maioria dos casos, os cientistas do século XVII haviam frequentado grandes universidades e pertenciam a famílias ricas, mas Leeuwenhoek vinha de uma família de comerciantes.

Aos 16 anos, já trabalhava como aprendiz de um mercador de tecidos em Amsterdã, época em que lentes de aumento eram usadas para examinar a qualidade dos tecidos, efetuando-se a contagem da densidade dos fios presentes no produto. As lentes ficavam presas a um suporte e eram capazes de ampliar três vezes o tamanho do objeto. Portanto, é provável que Leeuwenhoek tenha descoberto o princípio da ampliação óptica, mas a opinião predominante é que seu interesse em investigar o mundo natural microscópico foi de fato despertado pela leitura do famoso livro intitulado *Micrographia*, escrito em 1665 pelo cientista inglês Robert Hooke (1635-1703). A obra continha descrições e impressionantes ilustrações de objetos e animais minúsculos, como pulgas e piolhos.

Três anos depois, Leeuwenhoek estava produzindo lentes para construir os próprios microscópios, e suas observações seriam divulgadas por muitos anos pela Royal Society de Londres — atualmente a mais longeva instituição dedicada ao avanço da ciência.

Uma Classificação Biológica Universal: Carolus Linnaeus

Arrastados pela onda da Revolução Científica, botânicos vinham tentando nomear e classificar todas as novas espécies de plantas e animais descobertas pelos exploradores do Novo Mundo. O naturalista suíço Konrad von Gesner (1516-65) agrupou plantas com base nos frutos que produziam; já o botânico italiano Andrea Cesalpino (1519-1603) fazia isso tomando por base os vários tipos de organismos vegetais produtores de sementes. Além disso, existiam muitos outros sistemas de catalogação competindo entre si pela primazia da excelência classificatória. Mas foi o estudioso de origem suíça Carolus Linnaeus (1707-78) que percebeu a importância de uma taxonomia universal fundamentada nas características e relações vitais observáveis entre os seres vivos.

Já aos oito anos de idade conhecido como "o pequeno botânico", Linnaeus foi inspirado pelo exuberante jardim da família. Aos 22, como havia reunido em seu acervo mais de 600 espécies de plantas, deixou o eminente botânico Olof Celsius (1670-1756) tão impressionado que este pôs sua própria biblioteca à disposição do jovem estudioso e o incentivou a desenvolver um novo sistema de classificação biológica de plantas. Linnaeus voltava de suas viagens ao Novo Mundo com espécimes desconhecidas e providenciava para que seus alunos participassem de viagens exploratórias, entre os quais vale citar Daniel Solander (1733-82), naturalista sueco que acompanhou James Cook em sua viagem ao redor do mundo em 1768 e retornou com os primeiros espécimes vegetais colhidos na Austrália e no Pacífico Sul.

Em seu principal trabalho, *Species Plantarum* (1753), Linnaeus nomeou e descreveu 7.300 espécies de plantas usando um sistema binomial (consistindo em dois nomes, o de gênero e de espécie, para cada organismo). Assim, a todas as plantas do mesmo gênero foi dado o mesmo nome em latim, refletindo, sempre que possível, uma característica da planta, como foi o caso do gênero *Helianthus* (que significa "flor do sol"), nome escolhido para designar um grupo de plantas cujas flores lembravam "o disco solar". Até então, classificadores batizavam um grupo de plantas seguido de uma descrição longa e complicada. Além disso, os nomes quase sempre diferiam, dependendo do sistema de cada botânico, o que causava grande confusão. Mas a simplificação de Linnaeus foi revolucionária. Por exemplo, a rosa-canina, antes denominada *Rosa sylvestris inodora seu canina*, tornou-se *Rosa canina* no sistema de Linnaeus.

A classificação de Linnaeus dos demais seres vivos na forma de escala hierárquica obteve idêntico êxito. No cimo da escala, ficavam os reinos, que, por sua vez, eram subdivididos em ordens; depois, vinham os seres subagrupados em gênero e, por fim, em espécies.

Mas nem todo mundo gostou do sistema. Teólogos criticaram a inclusão de seres humanos na categoria dos primatas, já que isso, na visão deles, rebaixava o homem de sua posição espiritualmente superior na Grande Cadeia dos Seres (pág. 122). Linnaeus respondeu: "Os animais têm alma e a diferença está na nobreza de caráter."

Já outros ficaram chocados com sua classificação de plantas de acordo com seus órgãos reprodutores (estames e pistilos) e comparações com a sexualidade humana; por exemplo, o de uma planta apresentando nove estames e um pistilo foi assemelhado a uma situação de "nove homens no quarto nupcial de uma única mulher".

Apesar dos contratempos, o sistema de Linnaeus foi aceito. Hoje, embora seja grande o número de novas técnicas de classificação e designação de plantas baseadas em engenharia genética e bioquímica, o trabalho de Linnaeus continua a ser a essência da moderna taxonomia.

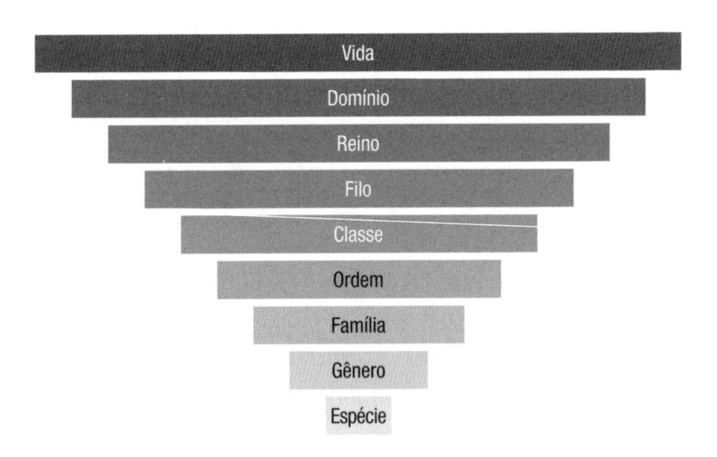

Os princípios fundamentais da classificação biológica de Linnaeus permanecem válidos, embora tenham sido acrescentadas, na taxonomia moderna, as categorias de "família", "filo" e "domínio".

As Unidades Básicas da Vida: Mathias Schleiden, Theodor Schwann e Oscar Hertwig

As células, as menores unidades estruturais e funcionais dos seres vivos, foram descobertas no século XVII por Robert Hooke (pág. 124), entre 1663 e 1665, após a invenção do microscópio. Durante anos, cientistas travaram discussões a respeito da verdadeira natureza das células, até que, finalmente, num debate após um jantar em 1838, dois cientistas alemães, Matthias Schleiden (1804-81) e Theodor Schwann (1810-82), acabaram criando o conceito daquilo que se conhece hoje como teoria celular. Eles deduziram que a célula é a unidade básica da vida; que todos os seres vivos são formados por uma ou mais células; e que todas as células surgem de células preexistentes — ao contrário do que se pensava outrora, não são geradas espontaneamente a partir de matéria inanimada.

A teoria celular é o princípio fundamental da biologia moderna, equivalendo em importância ao que a teoria atômica representa para a química.

Schleiden foi um dos primeiros cientistas a reconhecer a importância do núcleo da célula na divisão celular e a observar as estruturas hoje conhecidas como cromossomos, que contêm a identidade genética das células.

Mais tarde, os cientistas aprenderiam o processo pelo qual organismos multicelulares substituem suas células velhas por meio da divisão celular chamada mitose, fenômeno assim designado com base na palavra grega que significa “linha”. É por esse processo que duas células-filhas são formadas com cromossomos idênticos aos das células genitoras. Na intimidade dos corpos humanos, ocorrem, em média, cerca de 10 quatrilhões de divisões celulares ao longo da vida. Organismos unicelulares, como as amebas, usam esse processo para se reproduzir (reprodução assexuada), simplesmente dividindo o próprio corpo em dois e criando uma célula afilhada idêntica: um organismo novo completo.

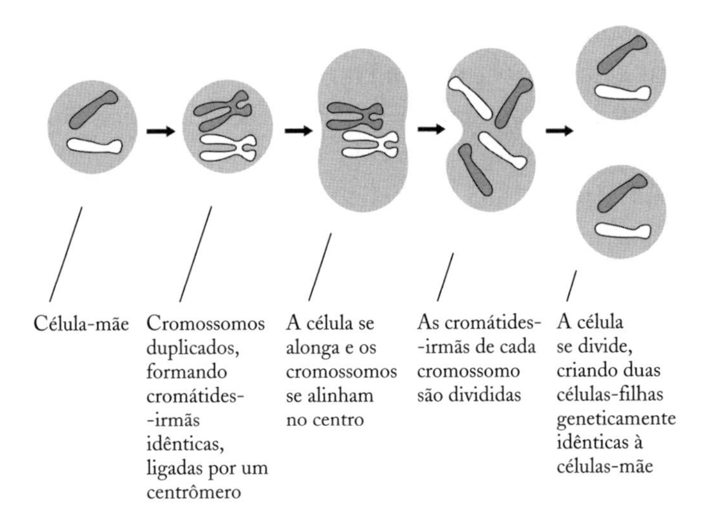

As fases da mitose.

Nos animais e nos vegetais de reprodução sexuada, a procriação ocorre por meio de uma divisão celular diferente, denominada meiose, processo descoberto no exame de óvulos de ouriço-do-mar, em 1876, pelo biólogo alemão Oscar Hertwig (1849-1922). Na meiose, descendentes são produzidos por relação sexual ou conjunção dos princípios germinativos dos genitores: dois organismos independentes, um macho e uma fêmea. Os cromossomos — estrutura filamentosa portadora do código da vida presente nas duas células originadas dos órgãos reprodutores de cada genitor — se duplicam para então ocorrer a troca de material genético. Essas células procriadoras se dividem em duas, criando quatro células sexuais filhas, ou gametas (esperma, no macho, e óvulo, na fêmea), cada gameta contendo a metade dos cromossomos da célula original. Quando ocorre a fecundação, os gametas masculino e feminino se fundem, formando o zigoto (célula-ovo fecundada), herdeiro dos genes de ambos os genitores. Por um processo denominado mitose, o zigoto se divide muitas vezes, gerando novas células e criando, ao fim de certo tempo, um novo descendente.

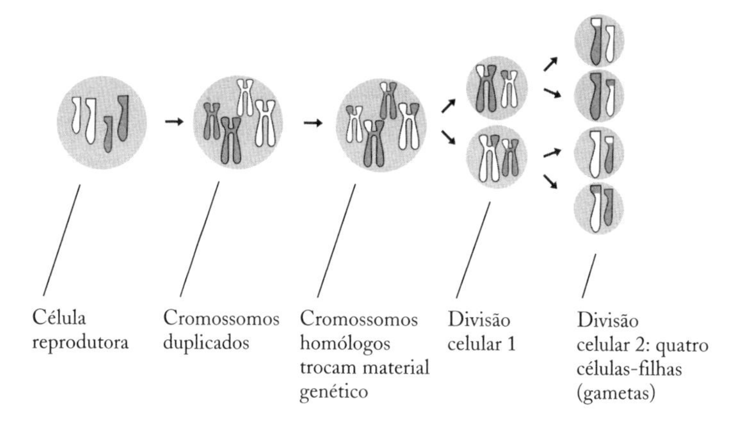

Durante a meiose, as células reprodutoras se dividem duas vezes e formam os gametas, cada um deles com a metade dos cromossomos da respectiva célula progenitora. As células do corpo humano contêm 23 pares de cromossomos no núcleo, enquanto os gametas possuem apenas um conjunto de 23 cromossomos. Após a fecundação e a fusão dos dois gametas, um dos 23 pares de cromossomos determina o sexo do novo ser. Nas fêmeas, os dois cromossomos sexuais são XX; nos machos, XY.

Causando uma Revolução: Charles Darwin

Charles Darwin escreveu um dos livros mais importantes e polêmicos da história da ciência. Em seu *A origem das espécies*, publicado em 1859, ele expôs a teoria da evolução biológica e a lei da seleção natural dos seres vivos. A obra representou uma contestação da ideia de que Deus criou o universo e todas as formas de vida. Alguns chegaram a questionar a própria existência de Deus, visto que o processo de seleção biológica das espécies parecia substituir a necessidade de um deus ou de uma suprema inteligência criadora.

Darwin assentou as bases da formulação de sua teoria durante uma viagem exploratória no *Beagle*, navio da Marinha Real Britânica, entre 1831-6, quando visitou as Ilhas Galápagos, no Oceano Pacífico. Descobriu que tartarugas de cada uma das ilhas apresentavam pequenas diferenças físicas e ocorreu-lhe que, na verdade, não haviam sido "criadas" com essas diferenças, e sim que vinham desenvolvendo tais dessemelhanças ao longo das eras — ou evoluindo —, à medida que reagiam ou se adaptavam às diferentes condições ambientais das ilhas. Suas pesquisas provaram que havia ocorrido um processo evolutivo: a vida existente na Terra não era o produto de um Criador Supremo, mas da transformação dos seres vivos, de formas inicialmente simples para organismos mais desenvolvidos ou complexos, de acordo com sua reação e consequente adaptação ao meio ambiente.

Quando retornou à Inglaterra, Darwin descobriu o processo que explicaria a teoria da evolução e revolucionaria a biologia. Ele concluiu que a "seleção natural" era a causa da evolução biológica e estabeleceu uma analogia do fenômeno com a seleção artificial. Argumentou que, embora o agropecuarista possa exercer um papel modificador na criação de plantas e animais domésticos, fazendo uma seleção artificial dos cruzamentos, na seleção natural não existe a função do procriador. Ao contrário, características como capacidade de sobrevivência e de se adaptar bem ao meio ambiente é que servem para forjar o futuro das espécies pelo processo de seleção natural dos seres vivos — consequente predomínio existencial dos mais aptos e eliminação dos mais fracos ou inadaptados. Darwin empregou a ideia de competição pela vida em seu modelo para explicar a força dominante que existe por trás da evolução e de fenômenos como extinção e diversificação biológica no decorrer das eras.

Em pesquisas independentes das realizadas por Darwin, Alfred Russel Wallace (1823-1913) também desenvolveu uma teoria da evolução, e muitos estudiosos atribuem a Wallace o crédito de codescobridor do fenômeno da evolução biológica das espécies. Embora suas teorias fossem parecidas, havia diferenças entre elas. Por exemplo, enquanto Darwin ressaltou (corretamente) que os fatores de seleção agiam sobre certos indivíduos de uma mesma espécie, Wallace pensava que incidiam sobre grupos ou espécies inteiras.

Houve também o desenvolvimento de ideias que tiveram certa relação informal com a teoria evolucionista, mas que o próprio Darwin não teria endossado se estivesse vivo. Por exemplo, em 1883, um ano após a morte do grande naturalista, Francis Galton (1822-1911), seu primo em segundo grau, usou os princípios do darwinismo num conceito que chamou de "eugenia", aventando com isso a possibilidade de se realizar o melhoramento genético de futuras gerações de seres humanos pela herança de características consideradas desejáveis na sociedade humana. No século XX, a eugenia ficou estigmatizada depois que foi adotada pelos nazistas como parte de sua ideologia racista, durante a campanha para alcançar a "pureza ariana" da espécie.

CHARLES DARWIN (1809-1882)

Nascido numa família inglesa de classe média alta, Darwin cursou a faculdade na Christ's College, em Cambridge, e depois o convidaram para embarcar numa viagem ao redor do mundo com o Capitão Robert Fitzroy, que precisava de um naturalista para sua expedição científica.

A bordo do *Beagle*, Darwin estudou os *Princípios da geologia*, de Charles Lyell (1797-1875), e foi muito influenciado pela análise crítica apresentada por Lyell sobre o conceito de James Hutton, segundo o qual a Terra é bem mais antiga do que afirmavam estudiosos das escrituras bíblicas (pág. 182). Em suas visitas a diversas partes do globo, Darwin ficou fascinado com a variedade de plantas e animais existentes no planeta. Formulou sua teoria da seleção natural em 1838 e dedicou as duas décadas seguintes aos estudos de seu novo conceito de evolução biológica. Como seria de esperar, suas conclusões suscitaram uma raivosa indignação entre membros das Igrejas Cristãs.

Em 1839, casou-se com Emma Wedgwood, sua prima, com quem teve 10 filhos. Com a publicação de inúmeros livros sobre o mundo natural, Darwin ficou famosíssimo. Ele foi enterrado na Abadia de Westminster, em Londres.

Investigando Bactérias: Ferdinand Cohn

As bactérias descobertas por Antonie van Leeuwenhoek na década de 1670 (pág. 122) tornaram-se alvo de grande interesse por parte de reis e rainhas da Europa. Mas esses ínfimos organismos unicelulares — medindo não mais que alguns micrômetros de comprimento (uma fração do diâmetro de um fio de cabelo) — seriam devidamente compreendidos somente 200 anos depois.

Ferdinand Cohn foi um dos primeiros a identificar a existência de diferentes espécies de bactérias e, em 1872, publicou seu sistema de classificação, dividindo-o em quatro grupos: esferobactérias (arredondadas, ou cocoides), microbactérias (em forma de bastonetes, ou baciliformes), desmobactérias (em forma de bastonetes maiores, ou filamentosas) e espirobactérias (espiraladas). Sua constatação de que diferentes bactérias têm propriedades distintas foi de enorme importância para a descoberta do fato de que bactérias podem causar infecções. Com o apoio de Cohn, Robert Koch acabaria descobrindo que doenças como antraz, cólera e tuberculose têm origem bacteriana (pág. 160).

Em 1876, Cohn fez a descrição do ciclo de vida do *Bacillus subtilis*. Tornou-se a primeira pessoa a demonstrar que essas bactérias formam endósporos (uma espécie de proteção) quando expostas ao calor. Muitas bactérias podem morrer se mergulhadas num líquido submetido a fervura, mas endósporos são resistentes a temperaturas elevadas; quando as condições ambientais se tornam favoráveis outra vez (por exemplo, com a volta à temperatura ambiente), esses esporos germinam e formam novos bacilos. Endósporos são um problema para a indústria alimentícia na atualidade, cujos processos de produção devem levar em conta a imperiosa necessidade de destruí-los ou de usar métodos de conservação que impeçam o desenvolvimento de bactérias formadoras de endósporos.

FERDINAND COHN (1828-1898)

Nascido no gueto judaico-alemão da Breslávia, na Silésia (atual Vratislávia, na Polônia), Ferdinand Cohn foi uma criança prodígio. Aprendeu a ler aos 2 anos e, aos 14, entrou para a Universidade da Breslávia. Todavia, por causa de sua ascendência judia, negaram-lhe a concessão do diploma escolar (aos 8 anos começou o ensino médio), fato que o impossibilitou de conseguir o emprego de professor em Berlim — e também por causa de suas raízes judaicas.

O interesse de Cohn pelo mundo microscópico nasceu após o pai, próspero comerciante, lhe dar de presente um microscópio caro e de alta qualidade. Na ocasião, Cohn tinha 19 anos, embora, já então, fosse detentor de doutorado em botânica e de um cargo na Universidade da Breslávia. O novo microscópio tornou-se um de seus mais queridos instrumentos de pesquisa. Em 1859, foi designado professor adjunto da cadeira de botânica e, já na década de 1870, era um eminente bacteriologista, despertando o interesse de muitos alunos e jovens cientistas por suas aulas. Hoje, é considerado o fundador da bacteriologia.

O Pai da Genética: Gregor Mendel

Antes que o botânico e monge austríaco Gregor Mendel (1822-84) iniciasse seu trabalho sobre hereditariedade, ninguém entendia por que as minúsculas unidades existentes nas células (hoje denominadas genes) transmitiam características de determinada espécie biológica de uma geração para a outra.

Aristóteles (pág. 15) acreditava que as características eram transmitidas à geração seguinte pelo sangue. Assim também Chevalier de Lamarck (1744-1829), biólogo francês, achava que era o sangue que transferia aos descendentes da girafa a característica que as fazia ter pescoços compridos.

Então, estudiosos mergulhavam em profundas cogitações para tentar descobrir quais características eram herdadas pelos descendentes. Uma hipótese muito aceita defendia a herança de uma mistura de caracteres dos progenitores; por exemplo, um genitor alto e outro baixo geravam descendentes com a média das estaturas dos pais. Mas isso implicaria a ideia de que, com o tempo, a altura de todos os descendentes de determinada espécie convergiria para um valor de estatura mediana, possibilidade que é claramente inválida.

Mendel queria desvendar o mistério, mas, como pertencia a uma família de agricultores, eram escassos os recursos financeiros para bancar seus estudos. Quando o dinheiro acabou, ele entrou para uma abadia de beneditinos em Brno (atualmente, cidade da República Tcheca), cujo abade financiou seus estudos universitários e o incentivou a realizar experiências com plantas na horta da abadia. Mendel passou oito anos cultivando e cruzando dezenas de milhares de pés de ervilha, computando e classificando, cansativa e minuciosamente, centenas de milhares de ervilhas. Ele queria descobrir a forma pela qual plantas genitoras transmitiam caracteres hereditários às suas descendentes.

A cada nova geração de plantas, Mendel comparava suas características, tais como a altura do caule (alto ou baixo), a cor das flores (roxas ou brancas) e a coloração de sementes/ervilhas (verdes ou amarelas). Acabou descobrindo que plantas descendentes sempre apresentavam um ou outro de cada um dos caracteres de seus genitores, e não uma combinação dos dois. Por exemplo, as flores eram sempre roxas ou brancas, e não de uma coloração diferente, resultante de uma mistura de cores.

Após o cultivo de gerações subsequentes, descobriu que um de cada par de caracteres era dominante. Por exemplo, na primeira geração de descendentes, as sementes eram sempre amarelas (o fator predominante), enquanto na segunda, as sementes amarelas prevaleceram numa proporção de 3:1. Essa relação também apareceu em gerações posteriores.

Suas conclusões, publicadas em 1866, são conhecidas como leis de Mendel, e, embora ele houvesse feito experiências com pés de ervilha, propôs que essas leis se aplicavam a todos os seres vivos. Segundo inferiu, pela lei da segregação, tanto caracteres dominantes quanto recessivos eram transmitidos aleatoriamente aos descendentes, substituindo assim o velho conceito de que características hereditárias constituíam uma mistura dos caracteres dos genitores. Já com base na lei da segregação independente, concluiu que caracteres eram transmitidos aos descendentes independentemente da existência de outras características dos progenitores. Assim, por exemplo, determinado pé de ervilha com flores roxas não tem maior ou menor probabilidade de gerar ervilhas amarelas, em vez de verdes.

Explicando as leis de Mendel em linguagem moderna, podemos dizer que um gene de uma característica qualquer, como a da cor da ervilha, pode ter diferentes formas, ou alelos, as quais podem ser dominantes ou recessivas. Toda característica passível de hereditariedade é determinada por um par de alelos. Na produção de gametas (células sexuais), durante o processo da meiose (pág. 129), pares de alelos de cada característica segregam-se (separam-se), de modo que cada gameta transmita apenas um alelo de determinada característica. Na fecundação, os gametas, com os alelos desemparelhados, se fundem aleatoriamente, de forma que o novo ser herde o conjunto de alelos individuais de cada progenitor. A questão de a característica "aparecer" ou não no descendente depende do fato de os alelos serem dominantes ou recessivos (invisíveis ou latentes). Alelos dominantes exibem suas características mesmo quando combinados com um tipo de alelo diferente, enquanto alelos recessivos só demonstram suas características quando mesclados com um alelo idêntico. Alguns distúrbios hereditários, tais como fibrose cística, são causados por um alelo "recessivo", o que significa que ele deve ter sido herdado de ambos os genitores.

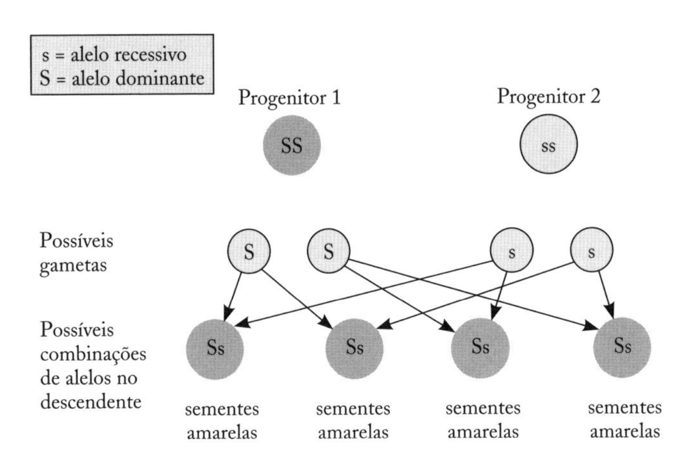

1. A geração do primeiro cruzamento de Mendel: todos os descendentes apresentam sementes amarelas, embora contenham alelos recessivos de sementes verdes.

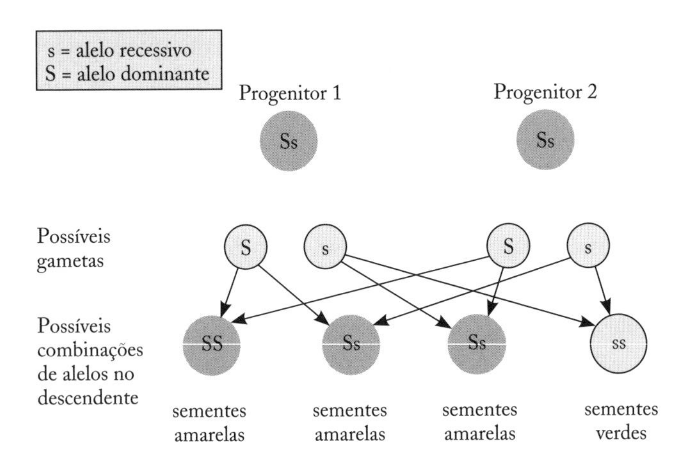

2. A geração do segundo cruzamento de Mendel: a maioria dos descendentes tem sementes amarelas na proporção de 3:1. Um quarto deles apresenta sementes verdes.

Os resultados dos estudos e experiências de Mendel, que permaneceram, durante sua vida inteira, sem o devido reconhecimento por grande parte da comunidade científica, foram redescobertos no início do século XX e assentaram os fundamentos para o advento de uma ciência revolucionária: a genética. Sua teoria da hereditariedade deu uma enorme contribuição à compreensão de questões de muitas áreas do conhecimento, incluindo a evolução, a bioquímica, a medicina e a agricultura, e estabeleceram as bases para o desenvolvimento de alguns ramos da ciência moderna, tais como a engenharia genética.

Genética Revolucionária: Thomas Hunt Morgan e Barbara McClintock

Seguindo os passos de Gregor Mendel (pág. 133), o biólogo americano Thomas Hunt Morgan (1866-1945), graças às suas experiências com a mosca-das-frutas, ajudou a desenvolver a teoria da hereditariedade genética. Segundo essa teoria, os genes são reais, entes concretos localizados em estruturas proteicas filamentosas conhecidas como cromossomos. Durante a meiose (divisão celular reprodutiva), os cromossomos trocam entre si segmentos de sua estrutura filamentar, fenômeno conhecido como recombinação genética.

A reorganização das informações genéticas é um processo fundamental à preservação da diversidade genética. Explica a variedade que observamos entre os descendentes de um conjunto de progenitores e assegura a cada nova geração a arma de novas combinações genéticas para enfrentar a provação depuradora da seleção natural — processo que favorece a sobrevivência dos espécimes mais bem adaptados ao meio ambiente. Organismos de reprodução assexuada não têm essa vantagem — sua variedade biológica depende de mutações periódicas, fato que os torna menos capazes de reagir a céleres transformações no meio ambiente.

Morgan demonstrou também algo que Mendel não percebera: o fato de que alguns genes localizados próximos uns dos outros no mesmo cromossomo (conhecidos como "genes coligados") podem ser herdados em conjunto; em outras palavras, a segunda lei de Mendel de segregação independente nem sempre se aplica aos fenômenos de hereditariedade. Genes coligados são responsáveis pela transmissão de doenças como daltonismo através das gerações de uma mesma família.

Vinte anos depois dos trabalhos de Morgan, a cientista americana Barbara McClintock (1902-92) concentrou suas pesquisas no material genético de espécies de milho. Na comparação que fez dos cromossomos dos progenitores e descendentes dessas plantas, notou que partes de seus cromossomos podiam mudar de posição, invalidando assim a teoria de que genes permanecem fixos nos segmentos que ocupam num cromossomo. Esses "elementos transpositores", ou "genes saltadores", podem causar mutações ou alterações permanentes nas instruções genéticas armazenadas nos cromossomos.

As pesquisas pioneiras de McClintock mostraram que modificações na estrutura de cromossomos podem gerar problemas e doenças, incluindo câncer, já que afetam as instruções armazenadas nas células que regulam o desenvolvimento e o funcionamento normal do organismo.

Desvendando os Mistérios do DNA: Francis Crick e James Watson

O DNA (ácido desoxirribonucleico) foi identificado pelo biólogo suíço Johannes Friedrich Miescher (1844-95) em 1871, mas a estrutura dessa molécula essencial à vida continuaria sendo um mistério nos oitenta anos seguintes. Moléculas de DNA são o principal componente dos cromossomos, estruturas presentes nos núcleos de células de plantas e animais, e sua função é armazenar instruções genéticas, ou informações hereditárias, de organismos vivos. Genes são simplesmente pequenos segmentos de DNA.

No começo da década de 1950, o biofísico e neurocientista britânico Francis Crick (1916-2004) e o geneticista americano James

Watson (1928-) entraram, juntamente com outros pesquisadores, na corrida para a descoberta da então misteriosa estrutura do DNA. Na época, sabia-se que a molécula de DNA era composta de quatro tipos de unidades mais simples, chamadas nucleotídeos: adenina, citosina, guanina e timina. Havia também evidências de que a quantidade de guanina era igual à de citosina, e a de adenina, idêntica à de timina.

Usando modelos de papelão de cada nucleotídeo para estudá-los, os dois amigos cientistas ficaram intrigados com a forma pela qual eles se conjugavam. Watson logo percebeu, todavia, que eles só podiam emparelhar-se de certo modo: adenina com timina e citosina com guanina. Acharam também outra pista para a solução do mistério, na forma de imagens de raios X de DNA feitas por Rosalind Franklin (1920-58), mostradas a eles por seu amigo Maurice Wilkins (1916-2004) sem o conhecimento de Rosalind. Observaram que as imagens indicavam que o DNA tinha uma estrutura helicoidal.

Munidos desses dados, a dupla descobriu a forma correta da estrutura e verificou que apresenta dois filamentos paralelos, suavemente espiralados entre si, dando a aparência de uma dupla hélice, com os pares de nucleotídeos coligados às duas espirais como os degraus de uma escada.

O modelo de DNA apresentado por eles em 1953 sugeriu imediatamente a possível existência de um mecanismo de reprodução e transmissão de informações hereditárias de uma geração para a seguinte: concluiu-se que, como os nucleotídeos só podem emparelhar-se de certa forma, a sequência de nucleotídeos num dos filamentos de DNA deveria servir como matriz para a formação de um novo filamento complementar durante a divisão celular.

Na década de 1980, dando continuidade ao seu trabalho, Watson chefiou o Projeto Genoma Humano (PGH). Esse projeto internacional visava decifrar o código de todos os genes da espécie humana (genoma). Em 2000, foi anunciado conjuntamente um "rascunho" do sequenciamento do genoma humano pelo PGH, programa financiado por um consórcio público e pela empresa comercial de pesquisas científicas criada pelo geneticista e empresário americano Craig Venter (1946-). A sequência completa foi publicada em 2003. Pela primeira vez, o genoma humano, ou 3 bilhões de letrinhas representando o código dos genes existentes na célula humana, tinha sido interpretado e posto na ordem correta. Sabe-se agora que existem em torno de 20-25 mil genes no genoma humano (pouco mais do que no do chimpanzé).

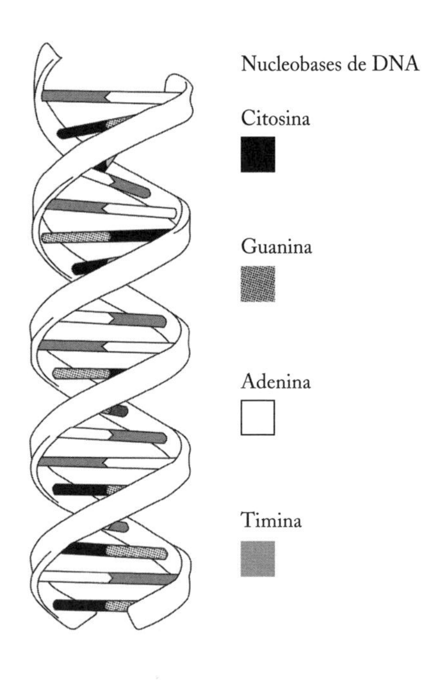

A dupla hélice do DNA.

O resultado não provém da análise do genoma de uma pessoa específica, mas de um genoma combinado, oriundo de um grupo de doadores anônimos. Todos os seres humanos têm sequências genéticas únicas, e é por causa disso que podemos ter impressões digitais genéticas — um valioso instrumento usado para fins de identificação segura pelas ciências forenses desde a década de 1980.

Genética Perigosa: Paul Berg

Paul Berg (1926-), bioquímico e biólogo molecular americano, inventou uma forma de introduzir artificialmente material genético de um organismo no genoma de outro ser vivo. Foi o início da engenharia genética, ciência que tem muitas aplicações, algumas bastante controversas.

Na década de 1970, Berg estudava a razão pela qual, às vezes, as células se tornam espontaneamente cancerosas. Como pensava que interações entre seus genes e sua bioquímica celular eram responsáveis por isso, concluiu que poderia investigar o fenômeno introduzindo um gene cancerígeno num organismo unicelular simples, como uma bactéria. Ele acreditava que poderia inserir o gene na bactéria se conseguisse combiná-lo com material genético capaz de entrar normalmente no "corpo" de bactérias, tal como um bacteriófago, um vírus conhecido como agente infeccioso de bactérias. O cientista optou por trabalhar com um vírus que causa câncer em macacos (SV40) e com a bactéria *Escherichia coli*, encontrada em qualquer parte do mundo e frequentemente usada em laboratórios.

Em seu método de "cortar e emendar", ele empregava uma enzima para "cortar" as duplas espirais de DNA do bacteriófago exatamente no ponto em que desejava e depois usava uma enzima diferente para adicionar segmentos a apenas um dos filamentos helicoidais do DNA, criando assim uma "extremidade adesiva", pronta para coligar-se a um pedaço de DNA submetido a um tratamento semelhante, extraído do vírus SV40, microrganismo infectante de macacos. Com isso, conseguiu conjugar as duas moléculas, criando um híbrido de "molécula de DNA recombinante".

A essa altura da experiência, Berg decidiu interromper as pesquisas. É que, às vezes, a *Escherichia coli* consegue trocar material genético com outros tipos de bactéria, incluindo alguns que causam doenças em seres humanos. Percebeu que se incorporasse seu DNA híbrido nas bactérias e alguma delas escapasse do ambiente experimental e se disseminasse, não conseguiria prever o resultado, mas sabia que isso poderia provocar uma catástrofe.

Em 1974, Berg lançou apelos para que fossem suspensas as pesquisas e atividades da engenharia genética, até que os perigos envolvendo o setor pudessem ser devidamente avaliados. No ano seguinte, uma conferência de cem cientistas de várias partes do mundo determinou as diretrizes e a proibição da realização de quaisquer experiências em que organismos geneticamente modificados proliferassem em corpos humanos se conseguissem escapar do ambiente de laboratório.

As terapias genéticas e os controversos alimentos transgênicos são alguns dos resultados do DNA recombinante. A insulina, o hormônio do crescimento humano (substância que regula nosso crescimento) e alguns antibióticos são produzidos agora utilizando-se essa técnica.

Berg é reconhecido por seu trabalho no campo da bioquímica e da engenharia genética — mas também por sua atitude para com a necessidade de se observarem práticas científicas responsáveis.

Propriedades Catalíticas do RNA: Sidney Altman

Quando o biólogo molecular canadense-americano Sidney Altman (1939-) iniciou suas pesquisas, ainda não estava clara a forma pela qual o DNA, ou suas informações genéticas, era transmitido às células vivas para comandar o processo de crescimento de um organismo. A visão predominante era que ácidos nucleicos, como o RNA (ácido ribonucleico), simplesmente transmitiam os códigos genéticos ao DNA, desencadeando a criação de enzimas, as quais, por sua vez, provocavam reações químicas e biológicas vitais no interior das células.

Altman e sua equipe descobriram que o próprio RNA é o catalisador do desenvolvimento bioquímico e que, portanto, o RNA pode atuar como enzima.

O trabalho de Altman e Thomas R. Cech (1947-) contribuiu para a compreensão do modo pelo qual a vida se origina e se desenvolve. Eles demonstraram que ácidos nucleicos são algumas das unidades estruturadoras da vida, funcionando tanto como códigos genéticos quanto como enzimas.

Sua descoberta das funções do RNA traz em si importantes e promissoras implicações médicas. No futuro, talvez enzimas possam ser usadas para extirpar sequências anormais ou infecciosas do material genético de um paciente com câncer ou AIDS.

Em Defesa do Meio Ambiente: Rachel Carson

A bióloga, ecologista e autora de livros científicos Rachel Carson iniciou, praticamente sozinha, o moderno movimento mundial em prol do meio ambiente com sua impressionante obra *Primavera silenciosa* (1962), na qual demonstra com eloquência os efeitos devastadores ao mundo natural da poluição causada por pesticidas. Seu "brado de alerta" uniu organizações de preservação do meio ambiente e da vida selvagem em torno de um ideal e inspirou uma nova geração de ativistas do movimento ecológico.

Carson foi a primeira cientista a salientar que os pesticidas criados para matar apenas uma espécie de erva, inseto ou animal daninho exercem a influência de uma nocividade muito mais vasta no mundo natural, envenenando as fontes de alimentos de outras espécies, às vezes matando todos os insetos, pássaros, peixes e animais selvagens em determinada área, em cujo solo penetram e lá ficam por muito tempo, numa ação ruinosa de longa duração. Ela chamou esses produtos químicos de "biocidas" e identificou mais de 200 tipos de substâncias desenvolvidas desde a década de 1940, usadas para matar ervas ou animais nocivos, venenos amplamente disponíveis no mercado para consumo da comunidade agrícola norte-americana.

Pioneira na disseminação de uma conceituação e visão holísticas do mundo, acentuava que os seres humanos também fazem parte da natureza e que a nossa saúde é tão prejudicada por práticas ambientais destrutivas quanto qualquer outra espécie animal. A bióloga demonstrou que pesticidas contaminam não só a natureza, mas as fontes da alimentação humana.

Apesar de tudo, Carson não se viu prontamente inclinada a opor-se ao uso de produtos químicos na agricultura, mas advertiu que, embora os efeitos de longo prazo de pesticidas recém-criados fossem desconhecidos, era científica e moralmente errado utilizá-los indiscriminadamente e em larga escala. Ela destacou ainda que, assim como no caso do descarte de lixo atômico nos mares, inexistiam pesquisas sobre os efeitos de longo prazo dessas substâncias: "[E] os erros cometidos na época atual se perpetuarão em todas as épocas."

Seu trabalho sobre pesticidas imediatamente provocou um debate público e uma série de discussões que levaram o governo americano a investigar o problema. Como resultado, em 1963, uma comissão consultiva federal demandou a realização de pesquisas sobre os possíveis riscos à saúde decorrentes do uso indiscriminado de pesticidas.

Com o tempo, vários pesticidas artificiais, entre os quais o DDT, tiveram seu uso proibido nos Estados Unidos, e muitos outros países impuseram restrições no emprego dessas substâncias. A cientista foi a fonte inspiradora da criação da Agência de Proteção Ambiental no país e incutiu na mente da opinião pública vários conceitos benéficos, como o de "ecossistema", que até hoje fazem parte da linguagem cotidiana.

RACHEL CARSON (1907-1964)

Criada na pequena cidade ribeirinha de Springdale, na Pensilvânia, recebeu da mãe o estímulo e os ensinamentos para amar a natureza. Ao longo de toda a carreira de bióloga marinha e, mais tarde, como ecologista, seu trabalho não foi apenas um tipo de ocupação profissional, mas também a maior paixão e fonte de alegria de sua vida.

Após os estudos universitários e o abandono do curso de letras para cursar zoologia, passou vários anos trabalhando para o Departamento de Pesca americano, mais tarde denominado Agência de Preservação da Vida Selvagem e Marinha, sendo a segunda mulher a ocupar um cargo em tempo integral na instituição.

Por fim, ela deixou de lado a carreira profissional para escrever *Primavera silenciosa*, o livro que acordou o mundo para os perigos da poluição industrial e agrícola. O título da obra é uma referência a uma região do território americano desnaturadamente silenciosa, por se achar totalmente destituída de vida natural, como resultado do emprego indiscriminado de pesticidas químicos.

Carson trabalhou numa época em que os americanos acreditavam que a ciência podia ser apenas uma força benéfica, e, por isso, as provas apresentadas de que o progresso científico estava prejudicando o meio ambiente foi para muitos um choque duplo.

Uma mulher incrível, que inspirou estudos científicos sobre a correlação entre poluição ambiental e saúde humana de valor inestimável. Talvez por um terrível capricho do destino, desde então o câncer de mama, justamente a doença que a matou, vem sendo apontado como um tipo de câncer que, às vezes, pode ser causado pela contaminação do meio ambiente.

O Ser Humano e a Medicina

Ao enfrentar o desconhecido na busca da cura para seus males, povos pré-históricos provavelmente tiveram que recorrer a rituais espirituais e a feiticeiros, mas talvez tenham transmitido também práticas úteis e saudáveis, bem como o conhecimento de certas propriedades de plantas medicinais às gerações seguintes. Seus restos mortais apresentam sinais de que eram dados a certos preparativos corporais e a rituais, indicando que sabiam algo a respeito de estruturas ósseas e órgãos internos. Partes desses restos mortais sugerem que realizavam até cirurgias. Evidências de trepanações rudimentares, ou a prática de fazer perfurações no crânio para aliviar dores de cabeça ou distúrbios mentais, foram encontradas em restos arqueológicos de povos que viveram por volta do ano 10.000.

Na Antiguidade, a China e a Índia utilizavam métodos de tratamento medicinal primitivos, mas as mais antigas práticas documentadas provêm do Egito Antigo, embora demonstrem avanços significativos na cura de doenças em bases puramente espirituais. Os gregos absorveram esses conhecimentos e logo descobriram que o centro de controle corporal era o cérebro, e não o coração, tal como haviam acreditado os egípcios.

Após a queda de Roma, quando a Europa entrou na Idade Média, a Igreja contribuiu muito para a estagnação do progresso da medicina, proibindo a dissecação de corpos humanos, embora a habilidade de cirurgiões fosse bastante testada em razão dos constantes combates entre exércitos da época. Com o tempo, conhecimentos médicos e científicos transmitidos pelo contato dos ocidentais com o mundo árabe reapareceriam na Europa e, mais tarde, com a crucial descoberta de que germes poderiam ser a causa de doenças, ajudaram a inaugurar uma era de avanços na medicina.

Os Primeiros Registros de Práticas Medicinais: Egito Antigo

Documentos em forma de papiro datados em torno do ano 1800 a.C. revelaram a existência de práticas medicinais surpreendentemente avançadas no Egito Antigo. Homero, em sua *Odisseia* (*c.* 700 a.C.), observou que "os egípcios eram, mais do que em qualquer outra arte, hábeis praticantes da medicina", e Heródoto, historiador grego que viajou para o Egito por volta do ano 440 a.C., disse em seus escritos que seus médicos tinham uma excelente reputação e eram procurados por governantes de outras terras.

Os egípcios acreditavam que deuses criavam e controlavam a vida, enquanto deuses malignos e demônios afetavam o funcionamento do corpo, causando doenças ao bloquear seus "canais", num processo muito parecido com a hipótese de que, se o rio Nilo fosse bloqueado, suas plantações seriam prejudicadas. Na visão deles, os tais canais do corpo transportavam ar, água e sangue, exercendo o coração o controle de tudo, no centro do organismo humano. Para eles, o coração era a sede da inteligência e, por isso, deveria receber o tratamento digno dessa posição: durante a mumificação, embalsamadores o deixavam no corpo como parte do preparativo do defunto para a vida após a morte, enquanto o cérebro era extraído pelas narinas usando-se um gancho de ferro e seus restos, extraídos do crânio com enxagues especiais.

Curandeiros passavam por cursos específicos para aprender a desbloquear os canais corporais: eles examinavam os pacientes, diagnosticavam e solicitavam tratamentos e conselhos práticos, tais como o uso de laxantes para desobstruir um bloqueio ou alimentação equilibrada em benefício da saúde como um todo. Muitos desses documentados tratamentos devem ter sido ineficazes, mas alguns, envolvendo o emprego de fungos, por exemplo, talvez tenham curado os pacientes, embora com o risco de provocar infecções.

Os terapeutas egípcios conseguiam também consolidar ossos quebrados e fazer suturas e curativos. Como só dispunham de antissépticos à base de ervas, cirurgias deviam ser procedimentos arriscados, além de muito dolorosos!

A Medicina como uma Ciência Racional na Grécia Antiga: Alcméon e Hipócrates

Os conhecimentos adquiridos no Egito foram transmitidos aos gregos antigos, que começaram a criar seus próprios conjuntos de crenças e sistemas terapêuticos.

Alcméon de Crotona (séc. V a.C.) foi um dos pioneiros na prática de dissecação anatômica. Dissecava animais e descobriu que o cérebro controlava sensações, o que o levou a concluir que esse órgão, e não o coração, era a fonte de sensações e do pensamento. Hipócrates (*c.* 460-*c.* 370) foi o primeiro a dissociar os sintomas de doenças de causas religiosas, mágicas e supersticiosas, fato que lhe conferiu o título de Pai da Medicina. Acreditava que doenças eram causadas pelo ambiente e que seus sintomas eram reações naturais do corpo a tais males. As diretrizes deixadas por ele para a conduta, o profissionalismo e a responsabilidade dos médicos na preservação da vida dos pacientes formam a base do juramento hipocrático, ainda prestado por formandos de medicina nos dias atuais.

Nascido na ilha de Cós, no mar Egeu, Hipócrates viajou pela Grécia Antiga, praticando e ensinando medicina, tentando combater a visão predominante de que doenças eram uma punição dos deuses. Ensinava que a doença era o resultado de um desequilíbrio dos fluidos corporais, conhecidos então como os quatros humores: "O corpo do homem contém sangue, fleuma, bílis amarela e bílis negra [...] por intermédio deles [o ser humano] padece de doenças ou desfruta de saúde. Quando todos os humores estão devidamente equilibrados e misturados, ele experimenta a mais perfeita sensação de saúde. A doença ocorre quando um dos humores existe em excesso ou em quantidade insuficiente ou, ainda, inexiste no corpo."

Hipócrates achava que o corpo tinha certos pontos de "crise", que eram intervalos durante a progressão da doença, quando o paciente quer restaurar seu equilíbrio pelo poder de cura da natureza, ou sofrer uma recaída.

Em suas instruções, recomendava que os médicos tivessem bons hábitos de higiene e asseio, e fossem honestos, gentis, calmos, compreensivos e sérios na relação com o paciente; deveriam seguir também diretrizes específicas de iluminação dos ambientes de tratamento, bem como observá-las na relação com auxiliares, instrumentos e técnicas empregadas. Além disso, logicamente, deveriam fazer registros claros e precisos de suas atividades. Enfim, todas as diretrizes que ele propunha são seguidas até hoje.

Na Grécia Antiga do Período Clássico, as principais correntes médico-filosóficas emanavam das Escolas de Cnides e de Cós (hipocrática esta última). A ênfase no diagnóstico, dada pela escola cnidiana, baseava-se em muitos pressupostos errôneos sobre nosso corpo (entre os gregos antigos, era tabu a dissecação de corpos humanos, por isso tinham pouco conhecimento da anatomia e fisiologia humanas). Já a metodologia da escola hipocrática ou de Cós — cuja ênfase recaía em cuidados com o paciente, diagnósticos completos, conhecimento do provável curso de doenças e tratamentos não invasivos, tais como descanso e imobilização absolutos —, foi muito mais bem-sucedida.

Dissecações e Anatomia nos Tempos Romanos: Galeno

Galeno estabeleceu o padrão das ciências médicas no mundo romano. Morava em Pérgamo (atual Bergama, na Turquia), antiga cidade grega que se tornara parte do Império Romano. Tão grande era seu grupo de adeptos que, no século II da era cristã, Pérgamo se tornou um centro de excelência em medicina na região do Mediterrâneo, e a visão que Galeno tinha do corpo humano prevaleceria no Oriente Médio e na Europa até o século XVII.

Galeno se pautava pela teoria hipocrática dos quatro humores corporais, à qual acrescentou suas próprias ideias, segundo as quais desequilíbrios fisiológicos podiam restringir-se a órgãos ou partes específicas do corpo. Era um conceito que ajudava demais os médicos na elaboração de diagnósticos e na prescrição de remédios para a restauração do equilíbrio e, desse modo, da saúde do corpo.

Durante boa parte da vida, concentrou esforços no estudo da anatomia, área que considerava a base do conhecimento médico. Como a legislação romana proibia a dissecação de corpos humanos, ele fazia experiências com porcos, ovelhas, macacos e outros animais, prática cujas conclusões às vezes o induziam a erros, tais como a descrição que propunha do útero humano, com base na conformação que esse mesmo órgão apresenta na cadela.

Numa dessas experiências, Galeno cortou a medula espinhal de um porco e, amarrando-lhe o nervo da laringe, aprendeu que o cérebro controla a emissão de voz. Depois, obstruindo a uretra de um porco com uma sutura, descobriu as funções da bexiga e dos rins. Concluiu que existiam três sistemas orgânicos interligados: cérebro e nervos, coração e artérias, e fígado e veias, cada um responsável por diferentes funções.

Sem jamais sentir medo de tentar, Galeno realizava cirurgias no cérebro e nos olhos, tais como para remoção de catarata, usando uma agulha comprida. A técnica antiquada podia ser muito bem-sucedida se a cápsula do cristalino permanecesse intacta, mas, quando isso não acontecia, ele destruía o olho do paciente e causava grave infecção. É incrível o fato de que essas cirurgias fossem feitas com um conhecimento tão impreciso da posição anatômica e da função das lentes oculares, mas talvez ele tivesse mais conhecimento do que os outros para realizar um procedimento como esse e, de mais a mais, em suas práticas cirúrgicas, seguia rigorosamente as orientações de Hipócrates.

No século IX, muitos dos livros de Galeno foram traduzidos para o árabe, o que influenciou o desenvolvimento da medicina árabe, e depois acabaram sendo retraduzidos para o latim, ajudando a reacender a chama da paixão pelas ciências médicas quando a Europa saiu da estagnação dos anos de trevas. A ênfase que dava à sangria, elegendo-a uma espécie de panaceia, permaneceu viva até o século XIX. Deve-se a ele também a introdução do procedimento de se tomar o pulso do paciente, prática até hoje corrente.

Mil anos depois de Galeno, embora ainda vigorassem restrições à prática de dissecação de corpos humanos na Europa medieval, o italiano Leonardo da Vinci (1452-1519) obteve permissão especial de hospitais de Florença e Roma para realizar os procedimentos. Com seus desenhos magistrais das estruturas dos corpos sob exame, revelou detalhes da anatomia humana até então desconhecidos. Houvessem sido eles amplamente divulgados, teriam provocado rápidos avanços na ciência e na medicina medievais, mas a Europa não estava preparada para o trabalho visionário de Da Vinci. Seriam necessários outros 200 anos para que o conhecimento da anatomia do corpo humano e de suas funções orgânicas pudessem exercer uma influência decisiva nas ciências médicas.

GALENO (129–*c.* 216)

Galeno era filho de um próspero arquiteto. Fez um bom curso de medicina em Pérgamo, onde havia um famoso templo dedicado ao deus da cura, Esculápio. Mais tarde, trabalhou como médico numa escola de gladiadores e aprendeu muito a respeito do tratamento de feridas abertas e traumas ortopédicos.

Ambicioso e inteligente, mudou-se para Roma no ano 162, onde seus esforços profissionais o tornaram médico dos imperadores Marco Aurélio, Cômodo e Sétimo Severo.

A Era de Ouro da Medicina no Mundo Árabe: Rasis

Com o declínio da Europa após a queda de Roma, países islâmicos floresceram durante um áureo período de desenvolvimento científico, cultural e econômico. Na Pérsia (atual Irã), um médico muçulmano conhecido como Rasis (854–*c.* 925) tornou-se o equivalente árabe do grego Hipócrates (pág. 148) — embora não tivesse receio algum de contestar a autoridade do Pai da Medicina. Rasis ajudou a demonstrar que as doenças têm causas orgânicas e não em sortilégios, no destino ou em poderes sobrenaturais. Ele escreveu também o primeiro livro sobre doenças infantis, fato que lhe conferiu o título de Pai da Pediatria.

Rasis começou a trabalhar ora como joalheiro ora como cambista, mas era também músico e alquimista. Só passou a interessar-se por medicina quando, numa experiência com alquimia, uma explosão lhe atingiu o rosto, prejudicando-lhe a visão. Assim, aos 30 anos, iniciou os estudos de medicina e filosofia em Bagdá, então um centro de ciências islâmicas. Em pouco tempo, tornou-se médico de renome, tendo escrito mais de uma centena de ensaios sobre medicina, e sem dúvida seu constante interesse por alquimia, considerada apenas mais uma das ciências naturais naqueles dias, contribuiu para sua habilidade de médico, visto que foi graças àquela prática que aprendeu o empirismo que levou para a medicina.

Foi o primeiro médico a descobrir que a varíola e o sarampo são doenças diferentes. Compreendeu que alguns tipos de febre são um mecanismo de defesa do corpo para combater infecções, e deixou registrado o primeiro caso de uso de fio de tripa animal em suturas. Foi também pioneiro no uso de gesso em ataduras para calcificar fraturas, e o primeiro clínico a discutir a questão da ética na medicina e as razões pelas quais as pessoas decidem confiar em determinado médico.

Viveu numa época em que, às vezes, era difícil explicar tratamentos de doenças. Dizem que foi chamado para tratar um emir que estava tão aleijado devido à artrite que não conseguia nem andar. Rasis ordenou que trouxessem o melhor cavalo do homem até a porta do local em que se encontravam, antes de iniciar o tratamento do paciente com banhos quentes e a administração de uma poção. Em seguida, sacou uma faca, xingou o homem e ameaçou matá-lo. Enraivecido, o emir se levantou de um pulo e partiu para cima do médico, que se retirou às pressas e fugiu montado no cavalo. Quando teve certeza de que o perigo havia passado, Rasis enviou uma carta ao emir, explicando que o tratamento a que o submetera amolecera seus humores (fluidos corporais) e que agora deixava ao encargo do bom humor do paciente a tarefa de terminar de dissolvê-los.

Rasis doou tanto de seus ganhos para obras de caridade que acabou morrendo pobre. Segundo a lenda, teve catarata, mas se recusou a submeter-se a qualquer tipo de tratamento dizendo que tinha visto tanta coisa ruim no mundo que estava farto de tudo.

Manual de Medicina do Oriente Médio: Avicena

O brilhante Avicena, cientista-filósofo e médico da Idade Média proveniente de Bucara (atualmente no Uzbequistão), incluiu valiosos conhecimentos de medicina dos povos antigos em seu *O cânone da medicina*, juntamente com conhecimentos oriundos da Mesopotâmia e da Índia, bem como suas próprias descobertas. A enciclopédia de 14 volumes criada por ele tornou-se a maior referência entre os compêndios médicos nos mundos islâmico e cristão.

Ao longo de toda a carreira, Avicena endossou a necessidade de se adotar uma medicina em bases empíricas: com exames, testes e a atitude de jamais se aceitar a teoria de alguém sem comprovação. Eis a forma pela qual descreve sua metodologia: “Na medicina, devemos procurar conhecer as causas das doenças e da saúde. E, dado que a saúde, as doenças e suas causas às vezes são patentes, enquanto em outras são ocultas e somente compreensíveis com o estudo dos sintomas, devemos estudar também tanto os sintomas da saúde quanto os das doenças."

Entre as constatações de suas muitas pesquisas, vale citar: a da natureza contagiosa de algumas doenças; a do impacto do meio ambiente e da alimentação na saúde; a da disseminação de doenças pela água e pelo solo; e a da existência de doenças do sistema nervoso causadoras de distúrbios mentais. Defendia a necessidade de se realizar testes clínicos antes da adoção pública de medicamentos e, nesse particular, suas normas englobavam os mesmos critérios adotados atualmente, tais como o de usar um grande grupo de controle para ter certeza de que os resultados não são acidentais. Acreditava também que experiências médicas deveriam ser feitas em seres humanos, e não em animais, pois: "Testar um medicamento num leão ou num cavalo talvez não prove nada sobre seus efeitos no homem."

Avicena tinha ideias sobre quarentena para evitar a disseminação de infecções e, já então, 600 anos antes de Antonie van Leeuwenhoek ter descoberto as bactérias, usando um microscópio (pág. 122), especulava acerca da existência desses seres minúsculos. Chegou a descrever doenças sexuais e da pele, bem como a anatomia do olho humano, o distúrbio da paralisia facial e o diabetes. Talvez em sua formação filosófica estivessem as razões de seu interesse pela psicologia e de seus estudos sobre influência da mente no corpo. Sabe-se que realizou pelo menos uma cirurgia: na vesícula biliar de um amigo.

Embora famoso e muito requisitado, Avicena demonstrava grande compaixão pelos pobres e os tratava sem nenhuma expectativa de retorno financeiro.

AVICENA (*c.* 980–1037)

Avicena já havia decorado o Alcorão e outros textos islâmicos clássicos quando tinha apenas 10 anos. Em pouco tempo, ultrapassou seus professores, criou o próprio curso de medicina e ainda era jovem quando conseguiu curar o sultão de Bucara.

Avicena viveu em tempos tumultuados e, por isso, sua vida foi bastante afetada pelas incertezas políticas. Afinal, não bastasse a ação das tribos turcas, que andavam destronando governantes persas na Ásia Central, dirigentes da Pérsia (atual Irã) vinham assumindo o poder local de certas regiões, mantido pelo controle centralizador do Califado Abássida, baseado em Bagdá.

Em 999, a família real que governava Bucara foi destituída do poder por invasores turcos, obrigando Avicena a entrar num longo período de vida errante pela Pérsia, quando, aliás, não lhe faltaram aventuras. Chegou a escapar de uma tentativa de sequestro, teve que se esconder para evitar que o prendessem e, em certa ocasião, sob disfarce, viu-se obrigado a lançar-se numa fuga de extremo risco. Apesar dos reveses, arranjava tempo para escrever ensaios filosóficos e, sempre que conseguia manter-se por um período suficientemente longo no mesmo lugar, praticava sua profissão.

Por volta de 1024, Avicena finalmente refugiou-se na cidade de Isfaham, onde trabalhou como médico e conselheiro do governante, continuando a servi-lo pelo resto da vida.

Herbanários: Ibn al-Baitar, Garcia de Orta e os Mosteiros

Geralmente, na Idade Média, tal como acontecia nos tempos antigos, medicamentos eram, basicamente, princípios curativos extraídos de plantas. Ibn al-Baitar (*c.* 1197-1248) foi um importante herbanário (botânico) durante a Idade de Ouro do islã. Por séculos, na Europa e no Oriente Médio, não houve nada que se igualasse à sua extensa enciclopédia sobre usos medicinais e propriedades fitoterápicas.

Al-Baitar nasceu perto de Málaga, na Espanha, mas a reconquista cristã destroçou a região e, assim como milhares de outros muçulmanos, al-Baitar viu-se obrigado a emigrar. Pouco depois de 1224, estabeleceu-se no Egito, onde se tornou herbanário-chefe do Sultão al-Kamil. Graças a essa função, pôde coletar espécimes de plantas na Palestina, na Arábia, na Grécia, na Turquia, na Armênia e na Síria.

Como tinha uma memória incrível para reter informações sobre plantas e seus antigos usos medicinais, conseguiu criar novos medicamentos "por meio de experiências e observações", sempre fazendo muitos testes com suas drogas fitoterápicas. Seu *Livro de remédios simples (à base de ervas)* era uma metódica compilação de escritos sobre as propriedades gerais e medicamentosas de 1.400 espécies de plantas, 200 das quais nunca tinham sido catalogadas. Num trabalho posterior, ele se concentrou em processos terapêuticos, listando plantas de acordo com as doenças do corpo que elas podiam ajudar a tratar: males dos ouvidos, da cabeça, dos olhos, e assim por diante.

Garcia de Orta (1501-1568), médico da época do Renascimento português, de descendência judia, usou uma metodologia experimental para conhecer as propriedades de plantas medicinais quando trabalhava na colônia portuguesa de Goa, na Índia. Seu livro sobre ervas e drogas levou o conhecimento de plantas medicinais e especiarias orientais à Europa. Ele também transmitiu aos europeus conhecimentos sobre doenças tropicais, incluindo a forma asiática da cólera (a doença infecciosa que afeta o intestino delgado).

Em outras partes da Europa medieval, mosteiros serviam como repositórios de conhecimentos, locais em que monges se empenhavam na tradução e transcrição de obras antigas dos mundos culturais árabe, grego e romano. Graças a esse trabalho, descobriram, entre tais escritos antigos, medicamentos à base de ervas para doenças comuns e criaram hortas de ervas medicinais, de modo que tivessem como fornecer a matéria-prima a seus crescentes centros médicos. Além do mais, curandeiros de povoados prescreviam remédios à base de ervas, adicionando às receitas encantamentos e fórmulas mágicas, medida que os tornava alvos frequentes de acusações de bruxaria.

Cientistas modernos já demonstraram que alguns dos antigos remédios à base de ervas realmente surtiam efeito, como é o caso, por exemplo, da casca do salgueiro, usada 2.000 anos atrás para aliviar dores de cabeça, pois contém ácido salicílico, o princípio ativo presente na Aspirina. Já outros de seus processos medicamentosos se revelaram ineficazes: um tratamento para calvície usado na Idade Média, por exemplo, que recomendava esfregar cebola na parte calva do couro cabeludo. Medicamentos à base de ervas se mostraram ineficazes também no combate a epidemias, como a "Peste Negra", o mal de alta letalidade que varreu a Europa entre 1346 e 1353, disseminado por pulgas de ratos a bordo de navios mercantes.

No século XIX, químicos começaram a extrair princípios ativos de plantas, inaugurando a era das drogas químicas. Hoje, essas substâncias substituíram plantas e ervas no paradigma de tratamentos farmacológicos do Ocidente, embora compostos derivados de plantas ainda sejam usados na medicina moderna.

Pioneirismo no Uso de Vacinas: Edward Jenner

Embora Antonie van Leeuwenhoek (pág. 122) houvesse sido, na década de 1670, o primeiro a observar a existência de microrganismos, foram necessários anos para que as pessoas entendessem que microrganismos, ou "germes", podem causar doenças. O desejo de controlar as causas de doenças infecciosas foi um grande incentivo para se aprender mais sobre esses organismos vivos.

Edward Jenner (1749-1823), médico britânico e amante da natureza, foi um dos primeiros a ajudar as pessoas a entenderem a relação que existe entre germes e doenças e, com suas pesquisas sobre inoculação, iniciou um novo capítulo na história da medicina: o da imunologia.

A varíola era uma das doenças mais temidas da época de Jenner. Afetava, principalmente, bebês e crianças, causando um grande número de mortes e desfigurações horríveis nos sobreviventes. Abençoado com uma mente inquisidora e uma intuição natural, Jenner estava convicto de que poderia haver alguma relação entre os vírus da varíola bovina e suína e a forma humana da doença, e esperava que a descoberta dessa correlação levasse à cura do mal.

Tomara conhecimento de histórias populares sobre o caso de ordenhadoras que haviam sido infectadas pela varíola bovina e depois deram a impressão de que tinham ficado imunes à forma humana. Em 1796, pôs essa hipótese em prática usando num teste um menino de 8 anos, James Phipps, no qual inoculou pus colhido nas feridas da ordenhadora Sarah Nelmes, que fora infectada pela varíola bovina quando realizava suas tarefas com uma vaca chamada Blossom. Jenner usou uma varinha para transferir o pus infectado extraído do braço de Sarah para um pequeno corte "cirúrgico" feito no braço de James. A não ser pelos sintomas iniciais de febre e mal-estar generalizado, James Phipps não contraiu a doença. Jenner fez outro teste para confirmar o sucesso da vacinação rudimentar, desta vez inoculando material infectado com varíola humana em James, e obteve resultados semelhantes, provando que a imunização de fato funcionava.

A Royal Society, sempre cautelosa, somente publicou os registros do trabalho de Jenner vários anos depois, dizendo, no início, que não havia provas suficientes para apoiar uma descoberta tão revolucionária. Apesar da desaprovação inicial do público, Jenner continuou a vacinar pacientes, tendo feito isso até com seu filhinho de 18 meses de idade. Com o tempo, a realidade positiva de seu trabalho e os resultados da vacina acabaram vencendo a oposição dos críticos.

Embora, 20 anos antes (1774), o fazendeiro Benjamin Jesty (1736-1816) tivesse obtido sucesso com a inoculação do vírus da varíola bovina em sua família, estudiosos chegaram à conclusão de que Jenner alcançara os mesmos resultados de forma independente e agregara valor à descoberta com suas experiências e explanações.

Graças ao trabalho pioneiro de Jenner, em 1980 a Organização Mundial da Saúde (OMS) declarou que a varíola tinha sido erradicada. Não é uma tarefa nada fácil erradicar uma doença; tanto que, até hoje, dos males que afetam os seres humanos, foi a única doença infecciosa erradicada, conquista endossada pelo fato de que os sintomas são facilmente reconhecidos desde o início (com o aparecimento de pústulas). Mas isso nos dá esperanças de que a mesma coisa possa ser feita com relação a outros casos, tais como a poliomielite, doença que, embora tenha sido eliminada em muitos países, ainda persiste em algumas regiões do planeta.

Doença das Células: Rudolf Virchow

O médico alemão, nascido na Pomerânia, Rudolf Virchow (1821-1902) defendeu a tese de que a doença se origina nas células ou podem ser tidas como células anormais. "Pensem microscopicamente" era uma recomendação que vivia fazendo a seus alunos de medicina, como uma forma de incentivá-los a usar microscópios. Seu trabalho estabeleceu as bases para o advento da patologia moderna — a ciência das causas e dos efeitos de doenças.

A metodologia usada por Virchow na investigação dos fenômenos patológicos no âmbito celular levou-o a pesquisas pioneiras no campo da oncologia. Além de ter sido o primeiro a descrever corretamente um caso de leucemia (câncer do sangue), descobriu outros tipos de patologias malignas, incluindo câncer de estômago; um dos seus sintomas, caracterizado por um linfonodo supraclavicular hipertrofiado, é conhecido agora como "gânglio de Virchow".

Em 1848, Virchow realizou estudos sobre a epidemia de tifo na Silésia e ponderou que as precárias condições de higiene da região e uma população infestada de doenças eram um dos resultados diretos de sua falta de liberdade e democracia. O trabalho foi o ponto de partida para a elaboração de suas teorias relacionando medicina clínica e legislação política, levando-o a uma conclusão que o fez declarar: "A medicina é uma ciência social; já a política nada mais é que medicina [praticada] em larga escala. Os médicos são os advogados naturalistas dos pobres, e grande parte dos problemas sociais deveria ser solucionada por eles."

Sua visão abrangente, bem como sua compreensão de que, muitas vezes, as doenças têm na pobreza a sua grande causa, fizeram-no ganhar o título de "Pai da Saúde Pública".

Os Perigos dos Micróbios: Robert Koch e Louis Pasteur

Um dos treze filhos de um engenheiro de minas alemão, Robert Koch (1843-1910) aprendeu a ler sozinho com a ajuda de um jornal. Mais tarde, com suas pesquisas pioneiras, ele contribuiria para ajudar a identificar e isolar micróbios causadores de doenças.

Uma grande pandemia de antraz assolava a Europa. A doença, transmitida por cabras, ovelhas e gado, representava enorme perigo para pecuaristas e tratadores. Embora o bacilo do antraz (bactéria patogênica) houvesse sido descrito pelo médico francês Casimir Davaine (1812-82), nenhum avanço para a prevenção e o tratamento da doença tinha sido descoberto ainda, e pesquisadores não sabiam explicar por que o gado contraía o mal não apenas de outros espécimes infectados, mas também por pastar onde animais infectados tinham sido criados anos antes.

Em 1875, Koch conseguiu isolar e preparar culturas bacterianas do bacilo responsável pela doença. Ele observou seu ciclo de vida inteiro, notando a formação de endósporos resistentes em condições adversas, como quando havia insuficiência de oxigênio. Notou que esporos permaneciam em estado de latência até que condições favoráveis voltassem a prevalecer e depois geravam novos bacilos, fato que explicava a reincidência da doença em pastos que haviam sido mantidos em estado de repouso, ou inaproveitados, para que se recuperassem.

O químico francês Louis Pasteur (1822-95), famoso pela descoberta do eficaz processo de esterilização de alimentos batizado em sua homenagem (pasteurização), enfrentou também o problema do antraz com as armas da ciência. Aconselhava fazendeiros a manterem seus animais longe de terras contaminadas onde os afetados pelo mal haviam morrido. Em 1877, começou a trabalhar no desenvolvimento de uma vacina contendo bactérias de antraz. Aquecendo primeiramente a vacina a 42ºC para enfraquecer as bactérias, ele a injetava depois em ovelhas, que contraíam a doença, mas logo se recuperavam dessa forma atenuada de antraz, desenvolvendo imunidade a futuros ataques.

Em 5 de maio de 1882, Pasteur realizou uma experiência que atraiu bastante atenção. Inoculou vinte e cinco ovelhas e deixou outras vinte e cinco sem inoculação. Vinte e seis dias depois, injetou em cinquenta ovelhas um preparado contendo a forma mais virulenta do antraz. Dois dias após a inoculação, todas as ovelhas que não tinham recebido a injeção estavam mortas, mas as injetadas com o agente infeccioso continuavam vivas.

Koch conseguiu identificar também os micróbios causadores da tuberculose e da cólera, e Pasteur descobriu uma vacina contra a raiva. Pasteur testou sua vacina contra a raiva num garoto infectado, Joseph Meister, em 1885. Dez dias depois, ele voltara ao seu estado de saúde normal.

Embora coubesse a Pasteur o crédito de ter proposto que microrganismos podem ser cultivados fora do corpo, foi Koch quem aperfeiçoou a técnica de purificação de bacilos por cultura de laboratório. O emprego da técnica começa com a coleta de uma amostra contendo muitas espécies de microrganismos, da qual células semelhantes são transferidas para um novo meio de cultura esterilizado, repetindo-se o procedimento, até que, por meio de diluições e separação das células em amostras sucessivas, se obtenha uma amostra contendo uma única espécie do microrganismo desejado.

No século XIX, muitas pessoas morriam pós-cirurgias. Tanto Koch quanto Pasteur reconheciam que a falta de limpeza (assepsia) era um dos fatores que contribuíam para isso, pois assim micróbios podiam invadir o corpo do paciente, causando doenças e infecções. Em 1878, Pasteur declarou perante a Academia de Medicina da França:

> Se eu tivesse a honra de ser cirurgião, impressionado como estou com os perigos a que os pacientes ficam expostos a micróbios presentes na superfície de todos os objetos, principalmente em hospitais, não só usaria instrumentos perfeitamente esterilizados, mas, depois de ter lavado as mãos com o máximo de cuidado e havê-las submetido a uma célere flambagem, medida que não seria expô-las a um incômodo maior do que aquele que um fumante sente ao passar a brasa [solta do charuto] de uma das mãos para a outra, também usaria apenas gazes, bandagens e chumaços de algodão previamente submetidos a uma fonte calorífica com temperatura entre 130ºC e 150ºC.

A declaração de Pasteur se tornou a base de procedimentos assépticos em cirurgias, medidas que objetivam impedir o acesso de germes perniciosos ao centro cirúrgico, em lugar de se tentar eliminá-los com antissépticos aplicados exclusivamente aos tecidos humanos. O conselho dado aos cirurgiões para que flambassem as mãos antes de cirurgias refletia um procedimento rotineiro usado por Pasteur em seu laboratório até 1886; sabia-se também, por ser tão grande sua preocupação com germes, que ele costumava limpar copos, pratos e talheres com o guardanapo antes das refeições.

Tratando do Cérebro na Era Moderna

O tratamento de lesões e distúrbios cerebrais, embora seja uma prática que remonte à Idade da Pedra, tem se mostrado uma das áreas mais desafiadoras da medicina na era moderna.

Entender o cérebro e a forma pela qual ele funciona foi uma questão que ficou ainda mais complicada com a intervenção intelectual do filósofo francês René Descartes (pág. 56), quando afirmou que os nervos continham "espíritos de animais", e que mente e corpo eram entidades distintas. Segundo consta, num acordo com o papa visando dispor de corpos para dissecações, Descartes declarou: "Tudo relacionado com a alma, a mente ou as emoções eu deixo ao encargo do clero. Para mim, só reivindico o reinado do corpo." Essa declaração levou à formulação do dualismo cartesiano, o conceito da existência de uma mente imaterial (ou alma), um ente distinto ou independente do corpo físico.

Verificou-se depois, porém, que era errôneo tal conceito acerca da existência de "espíritos de animais" nos nervos, conforme constatado pelo cientista inglês Richard Caton (1842-1926), que descobriu, em 1875, com suas experiências em cães e macacos, a existência de diversas correntes elétricas no cérebro. Hoje é ponto pacífico a comunicação entre os neurônios (células nervosas) por intermédio de sinais elétricos e químicos. Além disso, como os cientistas não conseguiram descobrir a existência de um ponto de contato ou coligação entre uma mente imaterial e o corpo físico, por meio do qual ambos pudessem relacionar-se, concluíram que a mente não é uma entidade separada ou independente, preferindo adotar uma conceituação material da consciência: a metodologia da neurociência moderna.

O estudo de lesões no cérebro revelou outros aspectos do funcionamento do órgão. Em 1848, o ferroviário americano Phineas Gage sobreviveu a um acidente em que teve a cabeça perfurada por um vergalhão, destruindo-lhe a maior parte do lobo frontal esquerdo do cérebro. O exame demonstrou que partes da personalidade são controladas pelo lobo frontal e, indiretamente, suscitou também a adoção de um procedimento clínico controverso conhecido como lobotomia, usado no tratamento de depressão e doenças mentais. A cirurgia envolve o corte das ligações que se projetam na direção do lobo frontal e das que emanam dessa parte do cérebro, procedimento comum no início do século XX, quando o número de pacientes internados em hospícios ("asilos de lunáticos") tinha provocado grave superpopulação de doentes mentais nessas instituições. Contudo, já na década de 1950, o procedimento havia sido quase totalmente substituído pela administração de drogas antipsicóticas.

Experimentos com animais e com o comportamento humano feitos pelo fisiologista, cirurgião e psicólogo russo Ivan Petrovich Pavlov (1849-1936) revelaram a forma pela qual o cérebro reage a estímulos. Ficou famosa sua constatação de que a salivação se manifesta como ato reflexo no cão quando lhe oferecem carne (tal como acontece no caso de uma pessoa faminta diante de um bom prato de comida, cuja boca se enche d'água). Numa dessas experiências, ele tocava uma campainha toda vez que dava comida ao cão e descobriu que, quando suprimia o ato de dar alimento ao animal e simplesmente tocava a campainha, ainda assim o cão salivava — tinha aprendido a reagir a um "estímulo condicionado". Pavlov concluiu que reflexos condicionados são causados por fenômenos fisiológicos — a formação de novos trajetos de sinais reflexológicos no córtex cerebral.

Apesar das descobertas, o caminho para se chegar à compreensão integral do sistema nervoso e da trajetória percorrida pelos impulsos que nele transitam permaneceu desconhecido até a divulgação do trabalho do médico espanhol Santiago Ramón y Cajal (1852-1934), que se tornou um dos criadores da neurociência. Baseando-se nas pioneiras técnicas de coloração histológica do italiano Camillo Golgi (1843-1926), Cajal aplicou um corante prateado (nitrato de prata-piridina) a partes de tecido cerebral para poder observar um neurônio, ou célula nervosa. Ele descobriu que o neurônio tinha um corpo celular com prolongamentos ramificados (dendritos e axônios), por meio dos quais impulsos são conduzidos de uma célula para outra. Constatou também que o sistema nervoso não é uma rede inteiriça, tal como Golgi havia imaginado, mas formada por neurônios individuais que se comunicam com outras células (receptoras) por sinapses, ou estruturas que permitem a passagem de sinais elétricos ou químicos de uma célula para outra.

As descobertas de Cajal ajudaram a reformular nossa compreensão dos circuitos cerebrais e estabeleceram as bases para futuros estudos de tumores no cérebro e na medula espinhal.

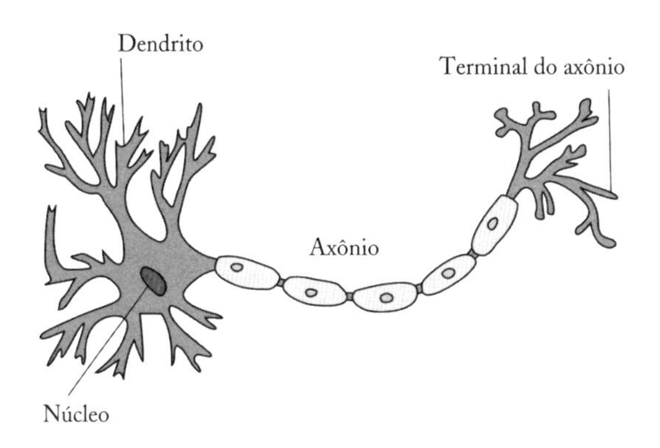

Um neurônio típico, ou célula nervosa cerebral. Axônios enviam impulsos elétricos de um neurônio para outro pelas sinapses; dendritos recebem impulsos de outros neurônios também via sinapses. Existem mais sinapses num cérebro humano do que estrelas na Via Láctea.

Na década de 1970, a neurofarmacologista americana Candace Pert (1946-2013) ficou famosa de uma hora para outra, quando descobriu os fundamentos bioquímicos da consciência. Descobriu que o receptor de opiáceos do cérebro — a diminuta parte do órgão em que endorfinas (moléculas semelhantes a proteínas que agem como analgésicos corporais, ou "produtores de bem-estar") se coligam a células cerebrais. Em outras palavras, as substâncias químicas existentes no corpo estão presentes também nos fenômenos das emoções humanas, demonstrando assim que o cérebro e o corpo se conjugam plenamente, formando um sistema coeso no âmbito molecular: nenhum deles pode ser tratado separadamente, sem que o outro seja afetado. A correlação entre estado de espírito e saúde, compreendida pelos gregos antigos e por diversas culturas autóctones ao redor do mundo, tinha sido finalmente revalidada pela medicina ocidental do século XX.

O Primeiro Antibiótico do Mundo: Alexander Fleming

Antes dos antibióticos, até mesmo um insignificante arranhão podia ser fatal. Mais soldados morriam devido a infecções, por exemplo, do que por conta dos ferimentos em si. Mas esse funesto estado de coisas mudou em 1928, quando Alexander Fleming, médico, biólogo e bacteriologista escocês, descobriu as propriedades bactericidas da penicilina, o primeiro antibiótico de todos os tempos e uma das maiores descobertas da medicina. Foi o início de um período áureo, um avanço que salvaria a vida de milhões de seres humanos.

O trabalho de Fleming no St. Mary's Hospital, em Londres, era realizar pesquisas para descobrir novas formas de proteger a humanidade contra a ação nociva dos germes; trabalho que envolvia a cultura laboratorial de bactérias, que depois eram mortas ou enfraquecidas com produtos químicos, processo seguido por testes das vacinas resultantes. Mas sua grande descoberta aconteceu por acaso, quando ele deixou destampada uma placa de cultura com bactérias vivas em seu laboratório e saiu de férias. Ao retornar, notou que havia muitas porções de diferentes tipos de mofo proliferando na placa e teve a felicidade de se dar o trabalho de observar que um deles em especial parecia ter matado as bactérias que havia ao seu redor.

Mofos são fungos minúsculos que nascem de esporos, partículas microscópicas que flutuam no ar e cuja proliferação é difícil de evitar. Normalmente, pesquisadores jogam fora espécimes de laboratório contaminados com fungos, mas, felizmente, Fleming guardou a amostra e, pouco depois, verificou que a massa branca veludosa era formada pela colônia de um tipo de penicilina, de ocorrência comum no solo, em frutas podres e pão estragado. Ele extraiu um pouco de mofo (penicilina) da porção coletada e, depois de muitos testes, descobriu que a penicilina matava ou impedia o crescimento até mesmo das bactérias mais nocivas.

Fleming adotou o termo "antibiótico", que significa "contra a vida", para designar a penicilina cuja purificação tentou obter da amostra de fungo, mas somente em 1939, após a invenção da secagem por congelamento a vácuo, Howard Florey (1898-1968) e Ernst Chain (1906-79), bioquímicos de Oxford, obtiveram uma forma de penicilina pura.

A descoberta de Fleming transformou totalmente a realidade dos riscos de acidentes diários letais, e talvez nenhum outro grupo de drogas tenha salvado tantas vidas quanto os antibióticos. Atualmente, existem mais de 8 mil tipos no mercado destinados ao combate de infecções e doenças causadas por bactérias, tais como as que provocam infecções torácicas, meningite e tuberculose. Contudo, já em 1946, Fleming percebeu que algumas variedades de bactérias sofrem mutações tão rápidas que podem se tornar resistentes a antibióticos, principalmente se a dose administrada for pequena demais ou sua ministração interrompida muito precocemente, prevendo ele, assim, o aparecimento, nos dias atuais, das “superbactérias”. Por outro lado, como os antibióticos são inofensivos aos vírus, não produzem efeito algum em infecções como a da gripe.

Fleming não patenteou sua descoberta da penicilina; portanto, nunca ganhou dinheiro com o achado. Quando empresas farmacêuticas americanas arrecadaram 100 mil dólares para ele, como forma de manifestar reconhecimento por sua contribuição para a ciência, Fleming doou o dinheiro à sua faculdade de medicina para financiar novas pesquisas.

ALEXANDER FLEMING (1881–1955)

Fleming era filho de um fazendeiro escocês, e seu primeiro emprego foi como escriturário numa empresa de navegação em Londres. Em 1901, herdou de um tio a então vultuosa quantia de 250 libras e decidiu iniciar carreira como médico.

Depois de formado, trabalhou como bacteriologista no departamento de inoculações do St. Mary’s Hospital e tornou-se também cirurgião e autor de livros de medicina. Movido por discreto senso de humor, resolveu cultivar algumas culturas de bactérias apenas pelo simples prazer de contemplar as belas cores e padronagens que exibiam. Ele chamou essas "pinturas" de "quadros germinativos".

Na Primeira Guerra Mundial, ele e seus colegas foram para a França trabalhar nos hospitais de campanha do Serviço de Saúde Militar do Exército, mas, com o restabelecimento da paz em 1918, voltou para o laboratório. Tornou-se professor de bacteriologia e, poucas semanas depois, partiu de férias com a família para uma estação de veraneio. Somente quando retornou ao trabalho fez a lendária descoberta do fungo bactericida.

Tímido e retraído, foi fraca a apresentação de sua descoberta, que acabou sendo ignorada por outros cientistas durante anos, mas finalmente recebeu todo o crédito pelo feito.

Publicada como "droga milagrosa", a penicilina em sua forma pura começou a ser fabricada em massa a partir de 1943, tendo passado a salvar, imediatamente, a vida de milhares de soldados na Segunda Guerra Mundial.

Doenças Moleculares: Linus Pauling

Fascinado com a estrutura das moléculas, o químico americano Linus Pauling (pág. 115) passou, após a Segunda Guerra Mundial, a concentrar suas pesquisas na estrutura de grandes biomoléculas. Essas moléculas orgânicas (hidrocarbonetos) constituem partes essenciais dos seres vivos. As investigações de Pauling à descoberta da primeira "doença molecular": a anemia falciforme.

Ele aprendera com um especialista em medicina que a anemia falciforme era causada pelo fato de que as células vermelhas do sangue eram deformadas, passando, de sua forma discoidal normal, para uma forma que lembrava uma foice. Assim, Pauling começou a examinar o conteúdo das células vermelhas do sangue — a hemoglobina. Após um ano de estudos, ele e sua equipe fizeram uma assombrosa descoberta quando usaram um campo elétrico para separar moléculas de hemoglobina de acordo com suas cargas elétricas. Constataram que moléculas de hemoglobina de células falciformes tinham cargas elétricas maiores do que as moléculas de hemoglobinas normais. O fato de que uma doença de periculosidade mortal podia ser causada por uma diferença tão sutil entre as moléculas despertou enorme interesse nos estudiosos, e seus expositores se tornaram pioneiros na realização de pesquisas na área das "doenças moleculares". Mais tarde, um trabalho realizado pelos colegas de Pauling demonstrou que a doença em questão era hereditária, estabelecendo assim um elo fundamental entre os campos da medicina molecular e da genética.

Pauling acreditava que doenças moleculares poderiam ter tratamento assim que os cientistas alcançassem uma compreensão da sua estrutura molecular. Esse nascente ramo da medicina combina práticas medicinais modernas com bioquímica e objetiva tratar doenças no âmbito molecular.

Foi ele também que aplicou a expressão "medicina ortomolecular" ao conceito de que é possível chegar a um excelente estado de saúde providenciando-se para que "as moléculas certas, na quantidade certa", estejam presentes no organismo. Acreditava que, se o corpo contiver uma quantidade equilibrada de substâncias vitais, as reações químicas necessárias à manutenção da saúde poderão ser aperfeiçoadas ao máximo.

Num teste aplicado em si mesmo, descobriu que pegava menos resfriados quando ingeria grandes doses de vitamina C. Após o lançamento de seu livro, que se tornou best-seller — ainda que alvo de críticas de outros cientistas —, especialistas não pararam de realizar estudos sobre os efeitos de suplementos alimentares, e agora estes constituem um ramo importante da indústria.

A Primeira Vacina contra a Poliomielite: Jonas Salk

Nas décadas de 1940 e 1950, pais americanos ficaram apavorados com a crescente incidência de poliomielite, também conhecida como pólio ou paralisia infantil. Na época, o vírus causador da doença atacava o sistema nervoso e aleijava ou matava mais ou menos uma em cada 5 mil crianças em epidemias anuais de verão nos Estados Unidos.

Jonas Salk (1914-95), microbiologista americano descendente de judeus poloneses ortodoxos, publicou alguns artigos sobre o vírus, e a prestigiosa National Foundation for Infantile Paralysis (atual March of Dimes Foundation), atraída por sua evidente determinação e entusiasmo, ofereceu a Salk quase toda a sua verba para pesquisas a fim de que tentasse descobrir a cura da doença.

Esse fato marcou o início da antipatia da comunidade científica com relação a Salk. Afinal, pesquisadores como Albert Sabin (1906-93) haviam despendido anos empenhando-se em cuidadosas pesquisas e, de repente, deram a um novato nesse campo de estudos uma quantia aparentemente ilimitada.

Na época, a maior parte dos envolvidos no esforço pela descoberta de uma vacina trabalhava com vírus da pólio "vivos", mas enfraquecidos, achando que submeter o paciente a uma forma atenuada da doença era a única forma de se gerar imunidade. Graças, contudo, a seu trabalho no desenvolvimento de uma vacina contra a influenza, Salk sabia que um vírus "morto" ou inativo poderia atuar como antígeno, levando o sistema imunológico a gerar anticorpos que atacariam e destruiriam o vírus em quaisquer invasões futuras, evitando, ao mesmo tempo, o óbvio risco de infectar o paciente. Neste particular, sua decisão mais acertada foi aplicar o mesmo princípio no enfrentamento da pólio e tentar achar uma vacina baseada num vírus "morto".

Salk usou formol para matar o vírus e, ao mesmo tempo, deixá-lo suficientemente intacto para acionar o sistema imunológico do corpo em que fosse inoculado. Seu primeiro teste da vacina foi feito em macacos e depois com um pequeno grupo de pessoas. Os resultados demonstraram que os corpos vacinados produziram os devidos anticorpos, sem nenhum efeito colateral indesejado. O estágio seguinte da experiência foi um programa de vacinação experimental em crianças, lançado em 1954, o qual, já em abril de 1955, demonstrou que a vacina era eficaz e segura.

Normalmente, resultados de estudos científicos são divulgados em publicações acadêmicas antes de serem anunciados ao mundo, mas, em 1955, Salk concordou em dar uma entrevista coletiva antes da publicação dos resultados e, embora não tivesse reivindicado o crédito pelo feito, tornou-se o queridinho da imprensa e do público, da noite para o dia. Infelizmente, isso o transformou num vilão aos olhos de muitos outros cientistas, que achavam que ele não dera o devido crédito a outros pesquisadores nesse campo de estudos.

Já na mente de pessoas comuns, Salk permanecerá para sempre na condição do homem que derrotou a paralisia infantil. Cativou a simpatia do público, principalmente porque se recusou a reivindicar a patente da vacina ou obter lucros e vantagens com a descoberta.

Em 1958, a vacina desenvolvida por Sabin, baseada num vírus "vivo", foi apresentada ao mundo. Ela podia ser ministrada por via oral, ao contrário da vacina de Salk, que devia ser injetada. E, como a vacina de Sabin precisava da aplicação de menos doses de reforço, ela começou a substituir a de Salk. Hoje, porém, ambas são aplicadas em conjunto.

Atualmente, o Instituto Salk de Estudos Biológicos é uma famosa e prestigiosa instituição dedicada a pesquisas nas áreas de biologia molecular e genética.

Terapia para a Mente: Sigmund Freud

Nascido em Freiberg, no Império Austro-Húngaro (atual Pribor, cidade da República Tcheca), Sigmund Freud (1856-1939) era o mais velho de sete irmãos e, em razão de seu brilhantismo intelectual, o favorito da família. Com um pai distante e autoritário e uma mãe atenciosa e protetora, o ambiente familiar exerceu papel fundamental nas teorias sobre a mente que ele viria a formular.

Incapaz de ganhar o suficiente para viver com o comércio de lã, a família resolveu mudar-se para Viena. Freud estudou medicina na cidade e, mais tarde, especializou-se em neurologia sob a orientação de Jean-Martin Charcot (1825-93), que utilizava técnicas hipnóticas para tratar casos de histeria. Em pouco tempo, Freud percebeu que os tratamentos clássicos de eletroterapia ou hipnose eram ineficazes e, em vez de empregá-los, passou a fazer experiências com "conversas terapêuticas", incentivando pacientes a falar sobre seus problemas, enfrentando-os racionalmente e depois procurando operar as necessárias mudanças no próprio comportamento. Ele tratava suas neuroses com a chamada livre associação de ideias (o paciente deitava-se no divã e era incentivado a externar o que lhe viesse à mente) e com a interpretação de sonhos, elementos que acreditava proporcionarem uma compreensão dos conteúdos do inconsciente. Durante o trabalho, o famoso psicanalista usava cocaína para a "expansão" da própria mente e, a certa altura da vida, via-se claramente que estava viciado na droga.

Em 1900, Freud publicou sua primeira metodologia do tratamento psicanalítico. De acordo com a principal teoria desse método terapêutico, o comportamento humano é controlado principalmente pelo inconsciente; sofrimento e conflitos psicológicos nascem da anulação dos impulsos primitivos pelas convenções sociais, causando tensões e recalques. Ainda segundo ele, uma das formas de se eliminar estados de tensão e revelar desejos ou motivações inconscientes se dá pela exteriorização e análise do conteúdo dos sonhos, mecanismos que proporcionam um caminho para o autoconhecimento.

Na faixa dos 40 anos, Freud estudou intensamente seus próprios conteúdos psicológicos e chegou a várias conclusões universais, das quais destacamos aquela segundo a qual o impulso sexual é a fonte de todas as neuroses. A comunidade científica criticou duramente seus estudos sobre sexualidade, principalmente no que se refere à crença de que até mesmo crianças de colo são movidas pelo instinto sexual. Por conta disso, Freud teve que trabalhar isolado durante algum tempo. Todavia, já em 1906, havia conquistado um grupo de seguidores, incluindo Carl Jung (1875-1961) e Alfred Adler (1870-1937).

Tanto que, em 1908, foi realizada, em Salzburgo, a primeira conferência sobre psicanálise, evento seguido, em 1910, pela criação da Associação Internacional de Psicanalistas.

Quando, em 1933, os nazistas, liderados por Adolf Hitler, ascenderam ao poder na Alemanha, os livros de Freud foram os primeiros a serem atirados em fogueiras ao ar livre. Cinco anos depois, os nazistas anexaram a Áustria (Anschluss) e começaram a perseguir todos que tivessem descendência judia, grupo de que Freud fazia parte, embora fosse ateu. Diante da ameaça, o psicanalista deliberou que preferia "morrer livre" e, assim, em 1938, ele e a sua família partiram para Londres.

Um câncer na garganta obrigou Freud a enfrentar cirurgias malsucedidas, mas acabou convencendo seu amigo, o médico Max Schur, a cometer eutanásia: Schur lhe deu três doses de morfina, e Freud morreu tranquilamente em sua casa no norte de Londres.

Medicina Reprodutiva: Gregory Goodwin Pincus

Todo tipo de método de controle de natalidade foi usado ao longo da história, desde aplicações com mel e uso de supositórios feitos com folhas de acácia, no Egito Antigo, e de plantas com propriedades contraceptivas, na Grécia Antiga, até supositórios à base de esterco, na Pérsia do século X. Todavia, na Europa medieval, a Igreja Católica proibia que se recorresse a esforços para se evitar a gravidez, e muitas "bruxas" eram punidas por realizarem abortos ou fornecerem contraceptivos à base de ervas.

No século XIX, o controle do crescimento populacional se tornou um problema político, já que taxas de natalidade controladas eram ideologicamente associadas a níveis de vida mais elevados e maior estabilidade econômica.

A invenção da pílula anticoncepcional, em 1951, pelo americano Gregory Goodwin Pincus (1903-67) marcou uma revolução na área do planejamento familiar e, ao mesmo tempo, ajudou a impedir o agravamento do problema da superpopulação em todo o planeta.

Teve também um efeito benéfico enorme na saúde das mulheres, assim como nas questões femininas (empoderamento), nas tendências de fertilidade, na religião, na política e, é claro, nas relações e nas práticas sexuais de adultos e adolescentes — de fato, um avanço científico em todos os sentidos, cujos efeitos alcançaram quase todos os aspectos de nossas vidas sociais.

Geologia e Meteorologia

A história da origem da Terra tem intrigado corações e mentes há milênios. Dois ou três séculos atrás, a maioria das pessoas achava que nosso planeta tinha somente 6 mil anos de idade.

Mas, no século XVIII, houve um avanço na compreensão da realidade física da Terra quando James Hutton, cientista escocês e aristocrata rural, demonstrou que o exame de rochas estratificadas podia revelar o que havia acontecido no passado e, em última análise, a idade e a origem do planeta. Encontrou evidências de que a Terra era muito mais antiga do que se imaginava, ao contrário das sugestões da Bíblia. Hoje em dia, estima-se que a Terra se solidificou, tornando-se um planeta, uns 4,6 bilhões de anos atrás.

A exploração mineralógica da crosta terrestre, em busca de metais preciosos e xisto betuminoso, vem sendo feita desde a aurora da civilização, com importantes avanços atribuídos aos romanos antigos e durante a Revolução Industrial. O reconhecimento preciso de jazidas de minério e sua distribuição natural no solo terrestre passou a ser de vital importância para atividades mineradoras comerciais, tornando a geologia um campo de estudos muito procurado. Nos dias atuais, geólogos são capazes de identificar, metódica e precisamente, depósitos de minérios nas camadas da crosta em qualquer parte do mundo.

Terremotos e enchentes são apenas alguns dos fenômenos cuja ocorrência geólogos conseguem comprovar, e esse conhecimento é usado agora para prever acontecimentos futuros, tanto aqui quanto em outros planetas.

Assim como a geologia, a meteorologia, ou o estudo científico dos fenômenos atmosféricos da Terra, tem origens remotas: ao longo da história, civilizações tiveram necessidade de prever fenômenos climáticos. Em anos recentes, a compreensão e a previsão de mudanças na atmosfera terrestre, bem como o impacto das modificações climáticas em nosso planeta e em nossa sociedade, tornaram-se, como nunca visto, assuntos internacionais de suma importância.

A Visão que os Antigos Tinham da Terra: Aristóteles e Teofrasto

No século IV a.C., o erudito grego Aristóteles (pág. 13) pensava como geólogo quando escreveu a respeito da lenta transformação da Terra ao longo de extensos períodos de tempo: "Se o mar sempre avança sobre a terra em determinado lugar e recua em outro, é óbvio que as mesmas partes da Terra não são formadas sempre por mar e terra, mas que esses lugares se modificam com o tempo."

Em sua obra *Meteorologia*, constam registros de algumas das primeiras observações sobre o ciclo da água. A água evapora, disse ele, acrescentando: "Ela sobe de depressões e lugares úmidos, de tal forma que o calor que a faz subir, não podendo transportá-la para uma grande altura e não suportando mais o seu peso, logo a deixa cair de novo." Graças a essa explicação singela, Aristóteles é considerado o criador da meteorologia.

Teofrasto (*c.* 371–*c.* 287), sucessor de Aristóteles na direção do Liceu de Atenas, fez uma das primeiras classificações de diferentes tipos de rocha, baseando-se em propriedades como dureza e comportamento quando aquecidas. Em seu tratado, apropriadamente intitulado *Sobre as rochas*, deixou registrado alguns usos práticos de minerais no mundo antigo, como, por exemplo, para a fabricação de vidro, tintas ou gesso.

Formações Geológicas na China: Shen Kuo

Na China medieval, Shen Kuo (1031-95), famoso por seu conceito de norte verdadeiro (pág. 21), foi o primeiro a formular por escrito a hipótese da formação das estruturas geológicas (mais tarde chamada geomorfologia) e a apresentar um estudo de fósseis de plantas para indicar mudanças climáticas ao longo das eras (paleoclimatologia).

Numa visita às montanhas de Taihang e Yandang, observou que, embora tais formações terrestres estivessem a centenas de milhares de quilômetros do oceano, havia fósseis de conchas em uma de suas camadas geológicas estratificadas. Shen concluiu que, numa época remota, a região devia ser parte de uma faixa litorânea ou de um leito marinho, e que o mar existente ali outrora havia mudado de lugar. Esse conhecimento o levou a formular a hipótese de que, para que todos os sedimentos houvessem se acumulado no local, a massa continental deveria ter se formado num período de tempo imenso. Foi uma descoberta que antecedeu em cerca de 650 anos o trabalho revolucionário de James Hutton sobre depósitos sedimentares (pág. 180).

Shen fez outra descoberta por volta de 1080, quando verificou que um deslizamento de terra na margem de um rio perto da moderna Yan'an (ao norte de Shaanxi, na China) tinha revelado a existência de uma gigantesca caverna subterrânea contendo centenas de bambus fossilizados — embora o bambu fosse uma espécie que não se desenvolvesse no ambiente árido dessa região. Numa atitude que demonstrava quanto estava à frente de seu tempo, ele falou sobre a possibilidade de mudanças climáticas: "Talvez, em uma época remotíssima, como o clima era diferente [ali], o lugar era raso, úmido, sombrio e adequado para [o crescimento de] bambus."

Mineração e Minerais: Agricola

Na parte oriental da Alemanha do século XVI, um químico brilhante chamado Georgius Agricola criou um compêndio sobre metais e mineração intitulado *De Re Metallica* ("Da natureza dos metais"), o melhor livro sobre técnicas de metalurgia e mineração do Ocidente desde *História natural*, de Plínio, o Velho, escrito por volta do ano 77.

Obra de produção cara e distribuição limitada, alguns exemplares, com seus pesados volumes presos por uma corrente, ficavam guardados em igrejas, onde o padre traduzia para o latim quando solicitado. Lá pelos idos de 1700, mais de uma dúzia de edições haviam sido publicadas em alemão, italiano e latim, com a primeira tradução para o inglês aparecendo em 1912, feita por um engenheiro de minas e então futuro presidente dos Estados Unidos, Herbert Hoover, e sua esposa, Lou Hoover, geóloga e estudiosa de latim.

Acredita-se que a versão definitiva da obra de Agricola tenha levado uns 20 anos para ficar pronta. A coleção de 12 volumes tratava detalhadamente dos processos e problemas envolvidos em operações de mineração e outras áreas correlatas, incluindo: administração do empreendimento, análise química do metal, técnicas de construção, doenças de mineradores, geologia, marketing, prospecção, refinamento, fundição, topografia, uso de madeiramento de sustentação, ventilação dos túneis e bombeamento de água — a remoção de água das minas era um grande problema na época.

Agricola apresentou também, com base na forma geométrica destes materiais, a primeira classificação científica de minerais em seu *De Natura Fossilium* ("Sobre a natureza dos fósseis"), manual de valor inestimável para todo engenheiro que inicie carreira no setor de mineração.

GEORGIUS AGRICOLA (1494–1555)

Georgius Agricola é o nome latinizado de Georg Bauer ("bauer" significa camponês ou fazendeiro). Nascido numa época em que a Renascença já se consolidara na Europa e a invenção dos tipos móveis por Gutenberg provocara um crescimento do número de pessoas alfabetizadas e com sede de conhecimento, parece evidente que as novas formas de pensar foram uma inspiração para Agricola.

Na escola, foi um aluno excepcional e estudou medicina na Universidade de Leipzig, onde obteve o diploma em 1517 — o ano em que Martinho Lutero deu início à Reforma Protestante, movimento contra os abusos da Igreja Católica Romana, em Wittenberg.

Agricola iniciou a carreira de médico em Joachimsthal, o centro de uma das mais importantes indústrias de mineração e fundição da Europa, o que lhe permitiu observar técnicas de mineração e tratamento de minérios enquanto praticava medicina. Três anos depois, deixou a cidade para viajar pela Alemanha e estudar as minas em operação no país, acabando por estabelecer-se em Chemnitz, na Saxônia, um importante centro de mineração. Na época em que havia publicado vários trabalhos sobre mineração e mineralogia, boa parte da Alemanha tinha abraçado a causa protestante. Agricola manteve-se fiel ao catolicismo até o fim da vida, mas teve que abandonar o cargo de médico da cidade por causa de protestos contra sua profissão de fé. Segundo consta, ele morreu durante uma acalorada discussão com um protestante.

Conflitos entre Religião e Ciência: Nicolaus Steno

No século XVII, as crenças cristãs exerceram grande influência nas ideias ocidentais sobre a origem da Terra. O padre e matemático inglês William Whiston (1667-1752), por exemplo, despendeu um tempo enorme tentando achar explicações científicas para as histórias bíblicas. Propôs que um cometa havia atingido a Terra e provocado o Dilúvio enfrentado por Noé, cujas águas, por sua vez, moldaram a geografia do planeta. Ele previu também que o fim do mundo aconteceria em 1736, após uma colisão com outro cometa.

Um dos que acabaram parando no meio do conflito entre ciência e religião foi o pioneiro dinamarquês Nicolaus Steno (1638-86).

Como havia se tornado um anatomista famoso, enviaram-lhe a cabeça de um tubarão enorme, capturado perto de uma cidade costeira do norte da Itália, para que fosse dissecada e analisada. Steno notou que seus dentes se pareciam com objetos petrificados incrustados em camadas rochosas, o que o levou a propor que fósseis eram restos mortais de organismos vivos de muitos anos atrás, preservados em rochas estratificadas. Outros cientistas, incluindo Robert Hooke (pág. 124), haviam chegado à mesma conclusão, mas Steno foi além. Propôs que muitas estratificações rochosas resultavam de sedimentações (um acúmulo de partículas que acabam se compactando e formando rochas) e que o estudo de fósseis presentes em diferentes estratificações poderia revelar uma história cronológica dos fenômenos geológicos da Terra. Foi uma proposição revolucionária, já que ele também descobrira que as montanhas são formadas por modificações na crosta terrestre — e não simplesmente formações que se elevam da superfície terráquea como se fossem árvores, conforme se pensava anteriormente.

Steno tinha dado um grande salto nessa área do conhecimento, mas subestimara a extensão da história geológica da Terra, optando por aceitar a visão então predominante de que o planeta tinha apenas 6 mil anos de idade, conforme "ensinado" pela Bíblia.

Ele acabou abandonando seus estudos científicos e se tornou padre.

Fundador da Geologia Moderna: James Hutton

O maior feito do geólogo do século XVIII James Hutton foi provar que a Terra tinha muito mais do que os 6 mil anos de existência proposto pelos estudiosos da Bíblia. Sua visão teria grande influência na teoria da evolução formulada por Charles Darwin (pág. 129). Contudo, Hutton não conseguiu informar a idade exata da Terra, pois, para isso, precisaria conhecer a taxa de decomposição de elementos radioativos existentes na natureza, mas o fenômeno da radioatividade era desconhecido naquela época.

Hutton divulgou suas ideias na década de 1780, quando as apresentou pela primeira vez à Royal Society de Edimburgo, e por fim publicou sua grande obra, intitulada *Theory of the Earth*, em 1795, vindo a morrer dois anos depois. Antes disso, já havia um certo interesse pelas geociências, mas a geologia, como ramo científico independente, era muito pouco reconhecida.

Afirmou que o planeta passava por um processo de restauração constante e uniforme, e propôs a existência de um ciclo geológico no qual a erosão das massas de terra era seguida pela deposição de matérias erodidas no fundo dos oceanos. Argumentou que essas partículas materiais depositadas no leito marinho se conglomeravam em rocha sedimentar, que depois aflorava, formando novas massas de terras emersas, que voltavam a sofrer erosão, num processo que se repetia indefinidamente.

Em 1787, ele notou evidências desse processo em uma massa de rocha sedimentar em Inchbonny, Jedburgo, cidade do sudoeste da Escócia. Tal processo é conhecido agora como “desconformidade de Hutton”. No ano seguinte, observou a existência de evidências semelhantes, também no fronteiriço condado de Scottish Borders, mais exatamente em Siccar Point, Berwickshire.

Com base em extensas pesquisas de campo sobre várias formações rochosas, ele concluiu que o ciclo geológico era um processo extremamente lento, já que devia ter se repetido um número indeterminado de vezes no passado. Assim também, como ele não conseguiu achar nenhuma evidência que indicasse que esse processo cíclico cessaria um dia, inferiu que só podia continuar mesmo indefinidamente.

A ideia de Hutton — de que processos geológicos uniformes, ocorrendo ao longo de vastíssimos períodos de tempo, e que hoje são responsáveis pelas características da crosta terrestre — continuará válida no futuro e servirá para explicar todas as modificações geológicas que ficaram conhecidas como uniformitarismo, um conceito geológico fundamental.

JAMES HUTTON (1726-1797)

Comerciante de Edimburgo, o pai de James Hutton morreu quando o filho ainda era criança. Depois de um breve período trabalhando como estagiário de advocacia, o jovem Hutton resolveu se dedicar aos estudos de química, decisão que o levou a cursar medicina na Universidade de Edimburgo e depois fazer pesquisas na França e na Holanda.

Todavia, decidiu abandonar a carreira e voltou para a fazenda da família, onde se empenhou no levantamento de recursos financeiros num trabalho em conjunto com um amigo, fabricando e vendendo cloreto de amônio, produto feito com fuligem de carvão, muito usado na época para dar uma textura crocante a artigos de padaria. Com o trabalho, conseguiu levantar dinheiro suficiente para realizar várias excursões de estudos geológicos pela Inglaterra, França, Bélgica e Holanda. Depois, voltou a se estabelecer em Edimburgo, na década de 1760, justamente na época do florescimento do Iluminismo escocês. Ele participava de grupos sociais frequentados por intelectuais como o economista Adam Smith (1723-90), o filósofo David Hume (1711-76), o químico Joseph Black (1728-99) e o futuro biógrafo de Hutton, o cientista John Playfair (1748-1819). Juntos, Hutton, Smith e Black fundaram o Oyster Club, cujos membros se reuniam semanalmente para discutir temas científicos. Hutton foi também membro-fundador da Royal Society de Edimburgo, instituição criada em 1783.

Estimulado por esse ambiente intelectual e inspirado pelos impressionantes fenômenos físicos testemunhados por ele em Edimburgo e arredores, Hutton iniciou o trabalho de elaboração de sua *Theory of the Earth*.

A Ciência da Meteorologia: John Dalton

No século XVIII, os padrões de variação climática quase sempre eram explicados (pasmem) com base em antigas teorias mitológicas.

Na maioria dos casos, os observadores do clima ou meteorologistas que estudavam a atmosfera eram amadores, com pouca compreensão dos fenômenos científicos que regulavam o clima, sem metodologia sistemática alguma. O químico e físico inglês John Dalton (pág. 104) foi o grande responsável pela mudança dessa atitude e pela transformação da meteorologia num campo de atividades científicas sérias.

Já aos 21 anos, Dalton começou a fazer registros dos fenômenos atmosféricos que observava e das condições climáticas que vivenciava, hábito que preservou durante toda a vida. Mas foi mais longe do que a maior parte dos observadores dos fenômenos atmosféricos, em seu afã de tentar entender e explicar as variações climáticas.

Em 1793, publicou seus registros sobre a velocidade do vento e a pressão barométrica na obra *Meteorological Observations and Essays*, com a qual tentou explicar também alguns fenômenos climáticos discorrendo sobre as diferentes reações dos gases na atmosfera. Nesse terreno de dissertação científica, jaziam as ideias germinativas da teoria atômica que o tornariam um dos pioneiros do campo da química.

Em estudos meteorológicos posteriores sobre a composição química da atmosfera, Dalton deduziu que a água, após evaporar-se, permanece no ar na condição de gás independente. Seu esforço para solucionar o enigma da forma pela qual o ar e a água são capazes de ocupar, simultaneamente, o mesmo lugar no espaço levou-o a outra descoberta revolucionária no mundo da química: os pesos atômicos.

Sem querer, Dalton tornou-se também especialista na altura das montanhas da Região dos Lagos do noroeste da Inglaterra, visto que, naquela época, a única forma de verificar temperaturas e pressão atmosférica em pontos elevados era escalando o local visado, cuja altitude era estimada com um barômetro. Hoje em dia, balões atmosféricos, drones e aviões poupam os meteorologistas da necessidade de serem tão fortes e musculosos para alcançar o mesmo fim.

Investigando a Era Paleozoica: Roderick Impey Murchison

Alguns anos após as revelações de James Hutton sobre a idade da Terra (pág. 180), outro geólogo escocês, Sir Roderick Impey Murchison (1792-1871), atraiu os holofotes da fama por conta de suas intrépidas expedições de pesquisas e sua descoberta do sistema siluriano, um dos períodos geológicos.

Murchison vinha de uma antiga família proprietária de terras nas Highlands escocesas que se transferiu para a Inglaterra quando ele tinha 4 anos, depois da morte do pai. O jovem Murchison foi estudar num colégio militar e depois serviu ao Exército durante a Guerra Peninsular. Então casou-se com Charlotte Hugonin, que se revelou um manancial de incentivo e inspiração durante toda a sua carreira.

O casal viajou pela Europa e depois se mudou para Londres, onde Murchison assistiu a palestras na Royal Institution e teve contato com cientistas famosos da época, entre os quais Charles Darwin (pág. 129), Charles Lyell (1797-1875) e Adam Sedgwick (1785-1873).

Em quase todos os verões dos 20 anos seguintes, os Murchison participaram de expedições geológicas pela Grã-Bretanha, França e pelos Alpes, com Charlotte atuando como caçadora de fósseis e artista geológica.

Em 1839, Murchison compôs seu grande trabalho, *The Silurian System*, apresentando detalhes de suas pesquisas no sul do País de Gales a respeito das "grauvacas", massas de antigas formações de ardósia, constitutivas de um substrato das séries de rochas do "Antigo Arenito Vermelho", datando da parte inicial da Era Paleozoica (paleozoico significa "tempo de vida primária").

A maioria dos geólogos achava que as rochas de ardósia continham pouquíssimos fósseis, mas Murchison acreditava que elas podiam ser a chave para a descoberta das primeiras formas de vida na Terra. Chamou essas estratificações de "silurianas" em homenagem aos silures, uma tribo que vivera na região, e descobriu que elas assinalavam um importante período na história da vida no planeta.

	Era	**Período**	Milhões de anos atrás
Éon Fanerozoico	Cenozoica	Quarternário	5,3
		Terciário	66,4
	Mesozoica	Cretáceo	
		Jurássico	
		Triássico	250
	Paleozoica (Vida primária)	Permiano	
		Pensilvaniano	320
		Mississippiano	
		Devoniano	419
		Siluriano	
		Ordoviciano	
		Cambriano	570
	Pré-Cambriano		4600

A Terra se formou há cerca de 4,6 bilhões de anos. Geólogos subdividiram esses 4,6 bilhões de anos em éons, eras e períodos, baseados nos registros fósseis de importantes mudanças na evolução da vida no planeta. As fronteiras entre as eras geológicas assinalam épocas de extinção em massa.

Estima-se que o início do período siluriano tenha se dado em algo próximo a 444 milhões de anos atrás. Apresentava uma fauna característica (vida animal), com muitos invertebrados, mas poucos vertebrados ou plantas terrestres.

Murchison determinou também, juntamente com Sedgwick, que ocorreu o que chamou de período devoniano, cujas características constatou em Devon, condado do sudoeste da Inglaterra, e na região da Renânia, na Alemanha. Assim como o período siluriano, o devoniano é um intervalo de tempo geológico da Era Paleozoica e começou por volta de 419 milhões de anos atrás, cerca de 25 milhões de anos após o período siluriano. É chamado, às vezes, de "Antiga Era Vermelha", em homenagem ao Antigo Arenito Vermelho associado a essa época, ou de "Era dos Peixes", já que é famoso por conta dos milhares de espécies de peixes que se desenvolveram nos mares do período devoniano, fato indicado pelos fósseis desses seres vivos encontrados no Antigo Arenito Vermelho. Foi nessa época também que os peixes começaram a desenvolver pernas rudimentares e a caminhar sobre a terra, e quando esta se cobriu de florestas.

A descoberta ocorreu devido a uma controvérsia: Murchison argumentou, refutando uma proposição de Henry de la Beche (1796-1855), que não podia haver carvão embaixo do sistema siluriano, já que as camadas geológicas inferiores deviam ser mais antigas do que as do siluriano e, estratigraficamente, o carvão estava associado a rochas de formação mais recente. Estudos acabaram demonstrando que Murchison tinha razão: as rochas em questão não eram pré-silurianas, mas provenientes de uma formação mais recente do período devoniano.

Após sua famosa expedição à Rússia, em 1840-1, acompanhado de Édouard de Verneuil (1805-73) e do Conde Alexander von Keyserling (1815-91), Murchison enunciou o sistema permiano, assim denominado em homenagem às estratificações da região de Perm (perto dos Montes Urais), cuja existência se deu, de acordo com especialistas, entre 250 milhões e 290 milhões de anos atrás.

Amonites: Lewis Hunton

Lewis Hunton (1814-38) nasceu e foi criado na acidentada faixa litorânea do nordeste da Inglaterra. Contribuiu para o desenvolvimento do conceito de que camadas de rochas, ou séries de estratificações rochosas sobrepostas em ordem cronológica (sucessão geológica), podem ser subdivididas e correlacionadas de acordo com a idade por meio da análise dos fósseis contidos em cada uma das camadas. Essa análise, conhecida agora como bioestratigrafia, tornou-se um aspecto fundamental da geologia moderna.

O pai de Hunton trabalhava na Loftus Alum Works, grande produtora de alume feito com o xisto extraído dos altos penhascos litorâneos e usado como fixador de tinturas na indústria têxtil. Sem dúvida, o ambiente influenciou o jovem Hunton, que estudou geologia e zoologia fóssil em Londres, onde conheceu cientistas eminentes, entre os quais Charles Lyell (1797-1875).

O trabalho de campo para a elaboração da primeira monografia de Hunton, apresentada à Sociedade Geológica de Londres em 1836, foi realizado na região nordeste de Yorkshire. Com esse estudo, ele forneceu dados comprobatórios de sua tese de que certas espécies fossilizadas, principalmente as amonites (fósseis de moluscos já extintos) — abundantes nos penhascos rochosos do condado que remontam ao Jurássico Inferior —, ocupavam somente limitadas seções verticais dos penhascos, em alguns casos camadas de apenas uns poucos centímetros de espessura. Tal conhecimento o levou a concluir: "As amonites são um ótimo exemplo da subdivisão sedimentária dos estratos de rocha, pois parecem ter sido as menos capazes, entre todas as *Lias genera*, de se adaptar a uma mudança de consequências externas."

Em suas escavações investigativas, Hunton recolheu também os fósseis de um ictiossauro, um réptil marinho de 5 metros de comprimento, o qual ainda pode ser visto no Whitby Museum.

Infelizmente, por ter contraído tuberculose, a promissora carreira de Hunton foi interrompida precocemente. Ele morreu com apenas 23 anos.

A Classificação dos Minérios: James Dwight Dana

Geólogo, mineralogista e zoólogo, o americano James Dwight Dana exerceu papel fundamental na Expedição Científica dos Estados Unidos de 1838-42. Durante essa exploração geológica do Pacífico Sul, coletou uma variedade extraordinária de informações sobre formações montanhosas, ilhas vulcânicas, corais e crustáceos.

Suas observações respaldaram a teoria de Charles Darwin segundo a qual atóis são formados pelo crescimento de corais em águas rasas após o afundamento de ilhas oceânicas. A visão de ambos contrariava conceitos de outros naturalistas, de acordo com os quais recifes de corais se desenvolviam em locais em que montanhas submersas se erguiam por causa do acúmulo de refugos de plâncton. Tal conflito de ideias ocasionou uma acirrada controvérsia científica. Tanto que somente em 1951, com a sondagem do fundo dos oceanos, foi possível provar que a teoria de Dana e de Darwin era válida.

Os relatórios de Dana sobre as descobertas da expedição ajudaram a aumentar o prestígio dos Estados Unidos no mundo científico, e as amostras e os materiais coletados foram reunidos para criar o primeiro museu de história natural do país.

Mas essa importante contribuição também visava propiciar a criação de um sistema de classificação de minerais. A metodologia concebida pelo cientista foi semelhante à usada pelo botânico suíço Carolus Linnaeus (p. 124) em sua classificação de plantas e organismos vivos, quando ele a organizou segundo critérios de gênero e espécie. Adaptando essa classificação, Dana criou uma categorização revolucionária de minerais, organizando-os de acordo com sua composição química. Eles foram agrupados, por exemplo, na classe dos silicatos, sulfatos ou óxidos e depois de acordo com sua estrutura. Dana usou quatro níveis classificatórios em sua ordenação: classe, critério baseado principalmente na composição química do mineral; tipo, em geral centrado nas características atômicas do material; grupo, categoria fundada em sua estrutura; e, por fim, vinham ordenados os diferentes tipos de minerais.

Seu sistema de classificação foi um grande avanço para a mineralogia e é aceito até hoje. É tão adaptável que os minerais descobertos nos dias atuais podem ser incluídos nele, simplesmente inserindo-os na respectiva classe e tipo.

JAMES DWIGHT DANA (1813-1895)

James Dwight Dana ingressou na Faculdade de Yale (hoje universidade) em 1830. Um de seus professores era o proeminente mineralogista Benjamin Silliman (1779-1864), fundador do *American Journal of Science*. Dana se casaria mais tarde com a filha de Silliman, Henrietta.

Depois de formado, seu primeiro cargo importante foi como professor de matemática num navio da Marinha americana que zarpou para o Mediterrâneo. Lá, teve a oportunidade de observar uma erupção do vulcão do Monte Vesúvio, fato que lhe permitiu fazer comparações com atividades vulcânicas depois observadas por ele no Pacífico Sul.

Em 1836, Dana voltou para Yale, onde passou a trabalhar como assistente de Silliman. Publicou sua classificação de minerais em seu *A System of Mineralogy* quando tinha apenas 24 anos, dois antes de embarcar no navio da Expedição de Exploração Científica dos Estados Unidos. Depois disso, passou dez anos editando suas descobertas e, em 1848, publicou seu *Manual of Mineralogy*, ainda hoje uma importante obra de referência.

Profundamente religioso, no início relutou em abraçar a teoria da evolução de Darwin, mas depois acabou aceitando a ideia de que ela fazia parte da divina intenção do Criador.

Como se Formam as Paisagens Naturais: William Morris Davis

A geomorfologia, ou o estudo das formações naturais, nasceu das pesquisas deste geógrafo, geólogo e meteorologista americano.

Gerado no seio de uma família quaker da Filadélfia, William Morris Davis (1850-1934) formou-se pela Universidade de Harvard em 1870, onde obteve mestrado em engenharia. Na época, não se sabia exatamente como as paisagens naturais evoluíam e como sua aparência característica se desenvolvia. Com sua descrição do "ciclo geográfico da erosão", Davis modificaria esse estado de coisas e, com suas pesquisas e seu ativismo intelectual, acabou ajudando a estabelecer o status de profissão e de ciência autônoma da geografia.

Os antecessores de Davis acreditavam que a forma de um acidente geográfico era determinada exclusivamente por sua própria estrutura ou era criada por um dilúvio de proporções bíblicas. Davis, influenciado pela teoria da evolução de Charles Darwin, propôs um sistema explicativo do desenvolvimento ou da evolução dos acidentes geográficos ligeiramente parecido com o de Darwin. Num artigo intitulado "Os Rios e os Vales da Pensilvânia", publicado na *National Geographic* em 1889, ele argumentou que acidentes geográficos passam por um longo e vagaroso ciclo [de transformação], formando-se primeiramente as montanhas pelo soerguimento de camadas geológicas circundantes, e depois, com o tempo, a ação dos agentes erosivos cria nelas vales escarpados, em forma de "V". Com a subsequente evolução natural da paisagem, os vales se alargam e surgem colinas de cimos arredondados.

Davis propôs três variáveis na evolução das paisagens: estrutura (forma da rocha e sua resistência à erosão e aos agentes climáticos); processo (fatores como agentes climáticos, erosão, deposição de materiais pela água); estágio existencial (juventude, maturidade e senilidade). Esta última indicava por quanto tempo o processo de erosão vinha ocorrendo.

Juventude: Surge um planalto jovem, com vales em forma de "V".

Maturidade: A paisagem tem vales com encostas altas, relevo máximo e planícies aluviais.

Senilidade: A erosão criou vales largos que aplainaram as colinas remanescentes.

Ciclo geográfico da erosão de William Morris Davis.

Embora consideradas simplistas, as ideias de Davis sobre a evolução das paisagens deram início a uma nova era na compreensão dos acidentes geográficos.

A Pioneira no Campo da Geologia: Florence Bascom

Como a primeira geóloga profissional dos Estados Unidos, Florence Bascom foi uma verdadeira pioneira entre as mulheres, tanto no campo das ciências quanto no meio acadêmico. Tinha em seu currículo duas importantes conquistas: a do status de autoridade científica nas rochas formadas por cristalização da região de Piedmont, na Pensilvânia, e a de ter se tornado fonte de inspiração para uma nova geração de geólogas que estudaram sob sua orientação e acabaram seguindo seus passos, abraçando a carreira da mestra.

Felizmente, Florence Bascom teve o apoio dos pais, que defendiam os direitos das mulheres, mas, depois de obter mestrado em geologia pela Universidade de Wisconsin em 1887, conheceu um professor que se opunha ao ensino misto. Bascom acabou deixando a universidade. Todavia, pouco depois, como as oportunidades para mulheres nos Estados Unidos começavam a surgir, ela foi para a Universidade Johns Hopkins, em Baltimore, em Maryland, onde cursou petrologia, a ciência que estuda a origem e as propriedades das rochas.

Em 1896, foi nomeada assistente de geólogo pelo Instituto de Pesquisas Geológicas dos Estados Unidos, tornando-se a primeira mulher a ocupar esse tipo de cargo, e foi encarregada de realizar pesquisas tanto na região de Piedmont quanto em partes dos estados de Delaware e Nova Jersey. Tornou-se perita no conhecimento da natureza mineral dessa região, especializando-se em petrologia. Durante o verão, fazia o mapeamento de suas formações rochosas, coletando finas amostras de camadas de rochas, e, no inverno, as submetia a análises microscópicas. Aprendeu muito a respeito das rochas cristalinas dessa região, de propriedades complexas e bastante metamorfoseadas, e os resultados de suas pesquisas foram divulgados na forma de muitos fólios e boletins científicos do instituto. Em 1909, foi promovida ao cargo de geóloga.

Suas publicações lhe trouxeram reconhecimento e respeito, e seu trabalho mapeando as formações rochosas na região se tornaria a base de inúmeros estudos.

FLORENCE BASCOM (1862-1945)

Florence Bascom abriu o caminho para o ingresso das mulheres tanto no campo da geologia quanto na esfera do ensino superior. Em 1898, foi nomeada professora adjunta da Bryn Mawr College, na Pensilvânia, e tornou-se titular em 1906, ajudando a instituição a transformar-se num estabelecimento de prestígio internacional. Foi mentora de uma geração inteira de jovens geólogas, três das quais seguiram seu exemplo e ingressaram também no Instituto de Pesquisas Geológicas dos Estados Unidos.

Nem sempre foi fácil o trajeto percorrido por Bascom em busca de um lugar ao sol. Em seu curso de doutorado na Johns Hopkins, ela assistia às aulas atrás de um biombo, de modo que seus colegas de turma não soubessem que estavam estudando com uma mulher. Mesmo depois de formada, seu diploma precisou ser concedido por meio de uma autorização especial. Somente a partir de 1907, a Johns Hopkins permitiu o ingresso oficial de mulheres na instituição.

No entanto, Bascom contava com uma vantagem especial em relação aos colegas, pois, como não estava oficialmente matriculada, não pagava mensalidades, somente as taxas para usar o laboratório.

Deriva Continental: Alfred Wegener

O geofísico e meteorologista alemão Alfred Wegener demonstrou que estava à frente de seu tempo quando propôs a teoria da deriva continental.

O primeiro campo de estudos a que Wegener se dedicou foi o da astronomia, mas, de 1906 em diante, participou de várias expedições à Groenlândia para estudar climatologia, passando a interessar-se cada vez mais por paleoclimatologia. Começou a pensar na ideia da deriva continental em 1910, quando notou a correspondência de formas entre as faixas litorâneas dos países dos dois lados do Oceano Atlântico, principalmente no caso da América do Sul e da África. Wegener propôs então que, em tempos remotíssimos, a Terra era formada apenas por uma única massa continental, um "supercontinente", que batizou de Pangeia. Argumentou que depois, cerca de 250 milhões de anos atrás, no fim da Era Paleozoica, esse grande continente se dividiu. Com o tempo e lentamente, as partes dessa divisão foram se afastando uma da outra, processo que ele chamou de deslocamento continental.

Outros cientistas haviam feito especulações em torno da hipótese de que os continentes americano e africano formavam uma só massa continental num passado distante, mas eles achavam que partes do supercontinente tinham submergido, formando assim os Oceanos Atlântico e Índico. Ainda com relação a essa questão, existe uma teoria segundo a qual a importante semelhança entre muitos fósseis, animais e plantas dos dois continentes é explicada pela hipótese de que havia uma ligação terrestre, uma espécie de istmo, entre o Brasil e a África.

A teoria da deriva continental de Wegener demonstrava satisfatoriamente a correspondência entre as formas continentais e as semelhanças entre os seres vivos de ambos os continentes, mas era controversa, já que não conseguiu fornecer uma explicação plausível da forma pela qual isso aconteceu. Por causa disso, numa conferência internacional de geólogos em 1928, a teoria foi rejeitada numa votação formal e permaneceu esquecida até a década de 1950. Então, com a conjunção do nascente campo do paleomagnestismo — o estudo das mudanças dos campos magnéticos da Terra — e do ulterior aparecimento da teoria do movimento das placas tectônicas, percebeu-se que, tal como Wegener havia argumentado: "Os continentes devem ter se deslocado."

ALFRED WEGENER (1880-1930)

Nascido em Berlim, Alfred Wegener obteve doutorado em uma instituição da capital alemã e, em 1905, foi trabalhar no Real

Observatório de Aeronáutica Prussiano, onde se tornou pioneiro no uso de pipas e balões meteorológicos para estudar as altas camadas da atmosfera. No ano seguinte, ele e o irmão Kurt venceram um concurso de balões de ar quente depois de terem se mantido no ar por 52 horas, batendo, com o feito, o recorde mundial da época.

Em suas expedições à Groenlândia, voltou a usar balões para estudar o clima. Combateu na Primeira Guerra Mundial como oficial subalterno, mas tirou longos períodos de licença, pois foi ferido duas vezes. Tempos depois, lecionou meteorologia em Marburgo e Hamburgo, e tornou-se professor de meteorologia e geofísica da Universidade de Graz em 1924.

Em 1930, em seu aniversário de 50 anos e durante sua quarta expedição à Groenlândia, Wegener não retornou de uma rotineira tarefa de verificação de suprimentos. Mais tarde, encontraram seu corpo congelado e atribuíram sua morte a uma parada cardíaca.

Novas Tecnologias e Mudanças Climáticas

Recursos de obtenção de imagens via satélite, ou sensoriamento remoto, e registros cinematográficos com aeronaves não tripuladas dão uma grande contribuição à geologia e à meteorologia, proporcionando a ambas as ciências perspectivas de avanços que cientistas de apenas algumas décadas atrás jamais teriam imaginado possíveis.

Agora, na maioria dos casos, características geológicas podem ser vistas integralmente, até mesmo falhas e transformações causadas pelo movimento das placas tectônicas, facilidade que ajuda os sismólogos a prever terremotos com mais precisão. O sensoriamento remoto é também uma técnica de ótimo custo-benefício na prospecção de jazidas de petróleo e gás.

Com o uso de satélites, meteorologistas podem saber se ocorrem padrões climáticos em áreas mais amplas e coletar informações sobre nosso planeta e o clima em escala global. O estudo desses dados coletados durante muitos anos pode revelar sinais de mudanças climáticas.

A maioria dos cientistas do clima acredita que a atual tendência de aquecimento global, que aumenta num ritmo sem precedentes, é causada pelo homem em razão de suas práticas de desmatamento, queima de combustíveis fósseis e uso de fertilizantes. As cargas de dióxido de carbono e de outros "gases do efeito estufa", presentes em níveis cada vez maiores na atmosfera, funcionam como uma espécie de cobertura térmica, absorvendo o calor irradiado pela superfície terrestre e enviando-o de volta. Os índices de dióxido de carbono atmosférico aumentaram em um terço desde a Revolução Industrial.

Entre os sinais de mudanças climáticas estão o aumento do nível dos oceanos, a elevação da temperatura global, o aquecimento das águas oceânicas, a diminuição das placas de gelo nas calotas polares e a ocorrência crescente de fenômenos atmosféricos catastróficos.

O consenso entre especialistas do clima é que as mudanças climáticas estão mesmo acontecendo e que as evidências geológicas demonstram que tais mudanças podem ocorrer de forma relativamente rápida, dentro de um século ou até de algumas décadas.

COLEÇÃO HISTÓRIA
PARA QUEM TEM PRESSA

A HISTÓRIA DO MUNDO PARA QUEM TEM PRESSA

MAIS DE 5 MIL ANOS DE HISTÓRIA RESUMIDOS EM 200 PÁGINAS!

A HISTÓRIA DA MITOLOGIA PARA QUEM TEM PRESSA

DO OLHO DE HÓRUS AO MINOTAURO EM APENAS 200 PÁGINAS!

A HISTÓRIA DO BRASIL PARA QUEM TEM PRESSA

DOS BASTIDORES DO DESCOBRIMENTO À CRISE DE 2015 EM 200 PÁGINAS!

Papel: Offset 75g
Tipo: Adobe Caslon
www.editoravalentina.com.br